中国工程建设协会标准

胶圈电熔双密封聚乙烯
复合供水管道工程技术规程

Technical specification for polyethylene composite
water supply pipeline with double seals joint
of rubber ring and electric melting

CECS 395：2015

主编单位：悉地国际设计顾问(深圳)有限公司
　　　　　江苏狼博管道制造有限公司
批准单位：中国工程建设标准化协会
施行日期：２０１５年６月１日

中国计划出版社

2015　北　京

中国工程建设协会标准
胶圈电熔双密封聚乙烯复合供水管道工程技术规程
CECS 395：2015

中国计划出版社出版

网址：www.jhpress.com

地址：北京市西城区木樨地北里甲11号国宏大厦C座3层

邮政编码：100038　电话：(010)63906433(发行部)

新华书店北京发行所发行

廊坊市海涛印刷有限公司印刷

850mm×1168mm　1/32　4印张　102千字
2015年6月第1版　2015年6月第1次印刷
印数 1—3080 册

☆

统一书号：1580242·680

定价：48.00元

版权所有　侵权必究

侵权举报电话：(010)63906404

如有印装质量问题，请寄本社出版部调换

中国工程建设标准化协会公告

第 191 号

关于发布《胶圈电熔双密封聚乙烯复合供水管道工程技术规程》的公告

根据中国工程建设标准化协会《关于印发〈2013 年第二批工程建设协会标准制订、修订计划〉的通知》(建标协字〔2013〕119 号)的要求,由悉地国际设计顾问(深圳)有限公司、江苏狼博管道制造有限公司等单位编制的《胶圈电熔双密封聚乙烯复合供水管道工程技术规程》,经本协会建筑与市政工程产品应用分会组织审查,现批准发布,编号为 CECS 395:2015,自 2015 年 6 月 1 日起施行。

中国工程建设标准化协会
二〇一五年二月十二日

前 言

根据中国工程建设标准化协会《关于印发〈2013年第二批工程建设协会标准制订、修订计划〉的通知》(建标协字〔2013〕119号)的要求,制定本规程。

本规程共分6章和5个附录,主要内容包括总则、术语及符号、管材及管件、设计、施工、验收等。

本规程由建筑与市政工程产品应用分会归口管理,由悉地国际设计顾问(深圳)有限公司(地址:上海市康健路138号CCDI大厦,邮政编码:200235)负责解释。在使用过程中如发现需要修改和补充之处,请将意见和资料径寄解释单位。

主 编 单 位:悉地国际设计顾问(深圳)有限公司
　　　　　　　江苏狼博管道制造有限公司
参 编 单 位:上海建工四建集团有限公司工程设计研究院
　　　　　　　江苏省建筑设计研究院有限公司
　　　　　　　中国建筑西北设计研究院有限公司
　　　　　　　福建省建筑设计研究院
　　　　　　　中元国际(上海)工程设计研究院有限公司
　　　　　　　中国城镇供水排水协会设备材料工作委员会
　　　　　　　中交第四航务工程勘察设计院有限公司
　　　　　　　南京市市政设计研究院有限责任公司
　　　　　　　南京市建筑设计研究院有限责任公司
　　　　　　　青岛理工大学建筑设计研究院
　　　　　　　东南大学建筑设计研究院
　　　　　　　南京长江都市建筑设计股份有限公司
　　　　　　　南通市规划设计院有限公司

青岛市民用建筑设计院有限公司
中机国际工程设计研究院
上海世纪都城建筑设计研究院有限公司
宁波科迪施工图审查有限公司
湖南中城供水塑业有限公司

主要起草人： 张海宇　徐冶锋　吕　晖　姜文源　罗定元
方玉妹　刘　俊　郭　枫　杨　娟　陈怀德
刘西宝　程宏伟　张可欣　张军峰　白迪琪
李　卓　王　竹　王阿华　吴贵江　成一峰
郭纪胜　刘彦菁　周莉莉　张　薇　崔宪文
严伟芬　邓　军　吴海林　罗荣嵘　陈加兵
禹福来

主要审查人： 孙　钢　赵力军　王　峰　吕伟娅　任向东
栗心国　李传志　黄显奎　陈永青　姚志强
李益勤　蔡昌明

目　　次

1　总　　则 …………………………………………（ 1 ）
2　术语和符号 ………………………………………（ 2 ）
　2.1　术语 …………………………………………（ 2 ）
　2.2　符号 …………………………………………（ 3 ）
3　管材和管件 ………………………………………（ 5 ）
　3.1　一般规定 ……………………………………（ 5 ）
　3.2　管材 …………………………………………（ 6 ）
　3.3　管件 …………………………………………（ 8 ）
4　设　　计 …………………………………………（11）
　4.1　一般规定 ……………………………………（11）
　4.2　管道布置 ……………………………………（12）
　4.3　管道水力计算 ………………………………（13）
　4.4　管道工程结构计算 …………………………（14）
5　施　　工 …………………………………………（16）
　5.1　一般规定 ……………………………………（16）
　5.2　储运 …………………………………………（19）
　5.3　埋地敷设 ……………………………………（20）
　5.4　架空敷设 ……………………………………（23）
　5.5　水下埋设 ……………………………………（25）
　5.6　水压试验、冲洗、消毒 ………………………（26）
6　验　　收 …………………………………………（31）
附录A　胶圈电熔双密封聚乙烯复合供水管材的规格
　　　　尺寸 ………………………………………（33）
附录B　胶圈电熔双密封聚乙烯复合供水管材增强

　　　　钢丝最少条数和最小直径 ……………………………（36）
附录C　胶圈电熔双密封聚乙烯管件的规格尺寸 …………（37）
附录D　胶圈电熔双密封聚乙烯复合供水管道水力
　　　　计算内径 …………………………………………（58）
附录E　单位管长沿程阻力损失水力计算表 ………………（59）
本规程用词说明 ………………………………………………（95）
引用标准名录 …………………………………………………（96）
附：条文说明 …………………………………………………（97）

Contents

1 General provisions ……………………………………… (1)
2 Terms and symbols …………………………………… (2)
　2.1 Terms ……………………………………………… (2)
　2.2 Symbols …………………………………………… (3)
3 Pipes and pipe fittings ………………………………… (5)
　3.1 General requirements …………………………… (5)
　3.2 Pipes ……………………………………………… (6)
　3.3 Pipe fittings ……………………………………… (8)
4 Design …………………………………………………… (11)
　4.1 General requirements …………………………… (11)
　4.2 Laying of pipes …………………………………… (12)
　4.3 Calculation of pipeline hydraulic ……………… (13)
　4.4 Calculation of pipeline engineering structure … (14)
5 Construction …………………………………………… (16)
　5.1 General requirements …………………………… (16)
　5.2 Storage and transportation ……………………… (19)
　5.3 Buried laying …………………………………… (20)
　5.4 Overhead laying ………………………………… (23)
　5.5 Underwater laying ……………………………… (25)
　5.6 Hydraulic pressure test, washing and disinfection ……… (26)
6 Acceptance ……………………………………………… (31)
Appendix A　Pipe dimension of polyethylene composite water supply pipeline with double seals joint of rubber ring and electric melting ………… (33)

Appendix B Enhanced steel wire of polyethylene composite water supply pipeline with double seals joint of rubber ring and electric melting .... (36)

Appendix C Pipe fittings of polyethylene composite water supply pipeline with double seals joint of rubber ring and electric melting .... (37)

Appendix D Internal diameter for hydraulic calculation of polyethylene composite water supply pipeline with double seals joint of rubber ring and electric melting .... (58)

Appendix E Hydraulic calculation tables of frictional resistance loss per unit length .... (59)

Explanation of wording in this specification .... (95)

List of quoted standards .... (96)

Addition: Explanation of provisions .... (97)

1 总　　则

1.0.1 为规范胶圈电熔双密封聚乙烯复合供水管道的工程应用,使设计、施工及验收做到技术先进、经济合理、安全卫生,确保工程质量,制定本规程。

1.0.2 本规程适用于新建、改建和扩建的管道公称外径不大于800mm的市政、工业和民用建筑胶圈电熔双密封聚乙烯复合供水管道工程的设计、施工及验收。

1.0.3 胶圈电熔双密封聚乙烯复合供水管道输送介质宜为清水。当输送含有腐蚀性污废水或固液混合物时,应满足聚乙烯塑料的耐腐蚀和耐磨性要求。

1.0.4 胶圈电熔双密封聚乙烯复合供水管道工程的设计、施工及验收,除应符合本规程的规定外,尚应符合国家现行有关标准的规定。

2 术语和符号

2.1 术　语

2.1.1 胶圈电熔双密封管道接口　double seal joint of rubber ring and electric melting

承口端外侧具有电加热元件,承口内侧设有胶圈槽,承口根部设有止口,止口与胶圈槽之间设有防位移安全区。通过胶圈、电熔两种密封措施相结合实现双重密封的管道接口形式,属刚性接口。

2.1.2 胶圈电熔双密封聚乙烯普通型复合管道　ordinary polyethylene composite water supply pipeline with double seals joint of rubber ring and electric melting

由胶圈电熔双密封管道接口构件及聚乙烯管材组成的管道,简称普通型复合管道。

2.1.3 胶圈电熔双密封聚乙烯增强型复合管道　enhanced polyethylene composite water supply pipeline with double seal joint of rubber ring and electric melting

由胶圈电熔双密封管道接口构件及增强型聚乙烯复合管材组成的管道,简称增强型复合管道。根据复合管材增强所用材料的性质,又可分为金属增强型和非金属增强型两种型式。

2.1.4 普通型胶圈电熔双密封管件　ordinary pipe fittings with double seal joint of rubber ring and electric melting

具有密封胶圈及加热元件,管材、管件的承口和插口能通过胶圈密封和电热熔接方式达到双密封效果,专用于胶圈电熔双密封聚乙烯复合供水管道工程的管件,包括弯头、三通、异径管等。

2.1.5 增强型胶圈电熔双密封管件　enhanced pipe fittings with double seal joint of rubber ring and electric melting

管件外侧采用高强度纤维材料及树脂,或管件壁厚内复合布孔均匀的钢套,或管件内径衬入金属板等加强措施,并通过胶圈密封及电热熔接方式达到双密封,专用于胶圈电熔双密封聚乙烯复合供水管道工程的管件,包括弯头、三通、异径管等。

2.1.6 胶圈法兰双密封钢塑转换接头 steel-plastic conversion with double seal joint of rubber ring and flange

两端法兰由球墨铸铁或不锈钢制成,内设可装入橡胶密封胶圈的环形槽,通过橡胶密封圈与法兰紧固双重密封的转换管件,可解决不同膨胀系数材质的管道相互连接隐患。

2.1.7 封口 sealing

将管材切口处外露的增强材料用聚乙烯塑料进行密封的过程。

2.2 符 号

2.2.1 管道上的作用力:

P_N——管道的公称压力;

P_w——管道的工作压力;

P_b——管道的水锤压力;

P_t——管道工程系统试验压力;

F_t——由温差引起的管段轴向推(拉)力。

2.2.2 几何参数:

V——试压管段的总容积;

d_n——管道的公称外径;

d_j——管道的水力计算内径;

e——管道的公称壁厚;

L——管段长度;

L_f——无纵向约束管段的长度;

S_w——管道的管壁环形截面积。

2.2.3 计算参量和系数:

E_p——管材的弹性模量；

E_l——管材纵向弹性模量；

E_w——水的体积模量；

g——重力加速度；

h_l——管道水流沿程水头损失；

h_s——局部水头损失；

k——局部阻力系数；

Re——雷诺数；

v——管道内水流的平均流速；

λ——管道水力摩阻系数；

κ_t——50年寿命要求条件下，公称压力温度修正系数；

t——管道内的介质温度；

v_b——压力波回流的速度；

c——管端固定度；

γ_w——水的重力密度；

Δv——管道内水的流速变化值，可取平均流速 v；

α——管道的线膨胀系数；

ΔV——水压试验管段降压泄出的水量；

ΔV_{max}——水压试验管段允许泄出的最大水量；

ΔP——试压管段降压量。

3 管材和管件

3.1 一般规定

3.1.1 胶圈电熔双密封聚乙烯复合供水管道工程(以下简称管道工程)采用的管材、管件等应符合国家现行标准《钢丝网骨架塑料(聚乙烯)复合管材及管件》CJ/T 189、《给水用钢骨架聚乙烯塑料复合管》CJ/T 123、《给水用钢骨架聚乙烯塑料复合管件》CJ/T 124、《工业用钢骨架聚乙烯塑料复合管》HG/T 3690、《工业用钢骨架聚乙烯塑料复合管件》HG/T 3691等的规定。当用于生活供水管道时,卫生性能应符合现行国家标准《生活饮用水输配水设备及防护材料的安全性评价标准》GB/T 17219的规定。

3.1.2 胶圈电熔双密封聚乙烯复合供水管材与管件应采用胶圈电熔双密封连接(图3.1.2)。

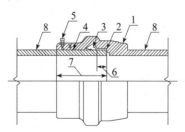

图 3.1.2 胶圈电熔双密封聚乙烯复合供水管道接口结构
1—管材承口;2—插入止口;3—橡胶密封圈;4—电热熔区;
5—电熔接线柱;6—防位移安全区长度;7—插入深度;8—管材

3.1.3 管道工程中采用的胶圈电熔双密封聚乙烯复合供水管材和管件,宜选用同一品牌的配套产品,并应有明显的标识。

3.1.4 胶圈电熔双密封聚乙烯复合供水管材和管件的短期静液压强度和爆破压力试验强度应符合表3.1.4的规定。

表 3.1.4 短期静液压强度和爆破压力

试验温度(℃)	试验强度（MPa）	试验时间（h）	要求
20	短期静液压强度 $2P_N$	1	不破裂、不渗漏
	爆破压力 $\geqslant 3P_N$	—	爆破

注：1 试验截断管材两端口，应进行防渗密封处理；
  2 当管材及管件的公称外径 d_n 为 250mm 及以上时，对爆破压力不做强制性要求。

3.1.5 管材、管件所用聚乙烯(PE)树脂的拉伸屈服强度应符合现行国家标准《聚乙烯(PE)树脂》GB/T 11115 的规定，并符合表 3.1.5 的规定：

表 3.1.5 管材、管件所用聚乙烯（PE）树脂的拉伸屈服强度

公称外径 d_n(mm)	≤250	>250
聚乙烯(PE)树脂的拉伸屈服强度（MPa）	≥20	≥22

3.1.6 管材、管件所用聚乙烯材料的强度等性能应符合现行国家标准《给水用聚乙烯(PE)管材》GB/T 13663—2000 中第 4 章和《给水用聚乙烯(PE)管道系统 第 2 部分：管件》GB/T 13663.2—2005 中第 4 章的规定。

3.1.7 密封胶圈材料应符合现行国家标准《橡胶密封件 给、排水管及污水管道用接口密封圈 材料规范》GB/T 21873 的规定。

3.1.8 胶圈电熔双密封聚乙烯复合供水管材、管件的不圆度应控制在公称外径的 1.5% 以内。

3.2 管 材

3.2.1 胶圈电熔双密封聚乙烯复合供水管材可分为普通型复合管材（图 3.2.1-1）和增强型复合管材（图 3.2.1-2）。增强型复合管材又分为金属增强型复合管材和非金属增强型复合管材。

  胶圈电熔双密封聚乙烯复合供水管材规格尺寸应符合本规程附录 A 的规定。

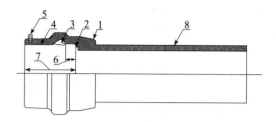

图 3.2.1-1 胶圈电熔双密封普通型复合供水管材结构

1—管材承口；2—插入止口；3—橡胶密封圈；4—电热熔区；
5—电熔接线柱；6—防位移安全区长度；7—插入深度；
8—高密度聚乙烯管材

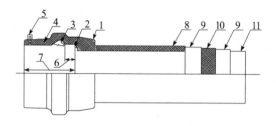

图 3.2.1-2 胶圈电熔双密封增强型复合供水管材结构

1—管材承口；2—插入止口；3—橡胶密封圈；4—电热熔区；5—电熔接线柱；
6—防位移安全区长度；7—插入深度；8—外层聚乙烯；9—复合层树脂；
10—高强度增强材料；11—内层聚乙烯

3.2.2 胶圈电熔双密封聚乙烯增强型复合供水管材增强层复合用树脂指标，应符合表 3.2.2 的规定。

表 3.2.2 复合用树脂指标

密度（g/cm²）	熔融指数（g/10min）	维卡软化点（℃）	断裂伸长率（%）
≥0.940	≥1.5	≥120	≥500

3.2.3 胶圈电熔双密封聚乙烯金属增强型复合供水管材所采用的高强度钢丝应符合现行国家标准《胎圈用钢丝》GB/T 14450 的规定，应无油污、锈斑、灰垢等污物及破损、压痕等对使用有害的缺陷，钢丝的断面最少钢丝条数及最小直径可按本规程附录 B 执行。

3.2.4 胶圈电熔双密封聚乙烯非金属增强型复合供水管材所采用的芳纶纤维应符合现行行业标准《对位芳纶(1414)长丝》FZ/T 54076 的规定。

3.2.5 管材的外表面应色泽均匀,无明显划痕、无气泡、无针眼、无脱皮和其他影响使用的缺陷;内表面应平滑,无斑点、无异物、无针眼、无裂纹。管材端头应进行防渗密封处理。

3.2.6 胶圈电熔双密封聚乙烯复合供水管材颜色宜为蓝色或带有蓝色色条的黑色管。

3.3 管 件

3.3.1 胶圈电熔双密封聚乙烯复合供水管件分为普通型管件(图 3.3.1-1)和增强型管件(图 3.3.1-2、图 3.3.1-3、图 3.3.1-4)。

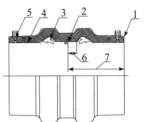

图 3.3.1-1 普通型胶圈电熔双密封管件端口结构
1—胶圈电熔双密封直接;2—插入止口;3—橡胶密封圈;4—电热熔区;
5—电熔接线柱;6—防位移安全区;7—插入深度

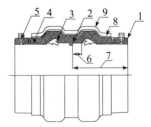

图 3.3.1-2 非金属纤维增强型胶圈电熔双密封管件端口结构
1—胶圈电熔双密封直接;2—插入止口;3—橡胶密封圈;4—电热熔区;
5—电熔接线柱;6—防位移安全区;7—插入深度;8—纤维增强材料;9—复合树脂

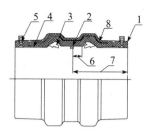

图 3.3.1-3 内壁金属孔网板增强型胶圈电熔双密封管件端口结构
1—胶圈电熔双密封直接；2—插入止口；3—橡胶密封圈；4—电热熔区；
5—电熔接线柱；6—防位移安全区；7—插入深度；8—内壁金属孔网板增强

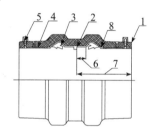

图 3.3.1-4 内径金属板增强型胶圈电熔双密封管件端口结构
1—胶圈电熔双密封直接；2—插入止口；3—橡胶密封圈；4—电热熔区；
5—电熔接线柱；6—防位移安全区；7—插入深度；8—内径金属板增强

3.3.2 胶圈电熔双密封聚乙烯复合供水管道与不同材质管道连接时，宜采用胶圈法兰双密封钢塑转换接头连接（图3.3.2）。

3.3.3 管件的公称压力应符合表3.3.3的规定，管件的规格尺寸应符合附录C的规定。

表 3.3.3 管件的公称压力 P_N (MPa)

管件类型	公称外径 d_n (mm)											
	≤200	225	250	315	355	400	450	500	560	630	710	800
普通型管件	1.6								1.0			
增强型管件	3.5	2.5			2.0				1.6			

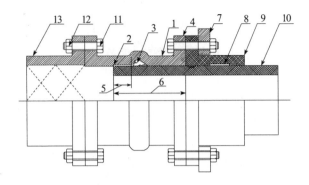

图 3.3.2 胶圈法兰双密封钢塑转换接头连接示意
1—胶圈双密封法兰短管;2—插入止口;3—橡胶密封圈;4—法兰;
5—防位移安全区;6—插入深度;7—活套法兰片;8—电热熔区;9—电熔法兰;
10—管材;11—螺栓;12—螺母;13—阀门或其他管道

4 设 计

4.1 一 般 规 定

4.1.1 管道工程的设计流量、水力计算、敷设等应符合现行国家标准《室外给水设计规范》GB 50013、《建筑给水排水设计规范》GB 50015、《城市工程管线综合规划规范》GB 50289 等的规定。

4.1.2 管道工程的最大工作压力应根据管材、管件的公称压力和所输送介质的温度按公式 4.1.2 经计算确定。

$$P_w \leqslant 0.9 \cdot \kappa_t \cdot P_N \qquad (4.1.2)$$

式中：P_w——管道的工作压力(MPa)；

　　　0.9——管道系统安全系数；

　　　κ_t——管道寿命为 50 年的条件下，对管道公称压力按实际使用温度进行调整的公称压力温度修正系数，按表 4.1.2 确定；

　　　P_N——管材、管件的公称压力(MPa)。

表 4.1.2 公称压力温度修正系数 κ_t

介质温度(℃)	0≤t≤20	20<t≤30	30<t≤40	40<t≤50	50<t≤60
普通型管道	1.0	0.87	0.74	—	—
增强型管道	1.0	0.95	0.90	0.86	0.81

注："—"表示没有适用于此条件的管道。

4.1.3 管道介质的设计流速宜按表 4.1.3 选用，当最大设计流速超过表 4.1.3 的数值时，应核算管道系统的安全性。

表 4.1.3 管道内的设计流速

管道公称外径 d_n(mm)	<160	160~250	>250
管道介质的最大设计流速 (m/s)	1.5	2.0	2.5

4.1.4 利用管材的纵向弹性弯曲敷设管道时,管段内的最小允许弯曲半径应符合表 4.1.4-1～表 4.1.4-3 的规定,当管段上有接头时,允许的弯曲半径不宜小于 $200d_n$ 采用冷弯曲敷设管道时,应在沟槽内按弯曲方向浇筑固定管道弧度的混凝土或砖砌的固定墩。

表 4.1.4-1　普通型直管的最小允许弯曲半径（mm）

公称外径 d_n	50～160	200～250	315～800
弯曲半径	$50d_n$	$75d_n$	$120d_n$

表 4.1.4-2　钢丝增强直管的最小允许弯曲半径（mm）

公称外径 d_n	75～90	110～160	200～315	355～560	630～800
弯曲半径	$60d_n$	$70d_n$	$90d_n$	$110d_n$	$120d_n$

表 4.1.4-3　纤维增强直管的最小允许弯曲半径（mm）

公称外径 d_n	75～90	110～160	200～250	315～400	450～630
弯曲半径	$50d_n$	$60d_n$	$85d_n$	$100d_n$	$110d_n$

4.1.5 在外界因素可能引起供水管道外表面温度升高的场所或部位,应通过计算确定胶圈电熔双密封聚乙烯复合供水管道与其他管线、设施的最小间距,保证供水管道的表面温度不超过 40℃,并应按本规程第 4.1.2 条校核调整。架空或敷设在管廊内的供水管道,应根据具体情况采取防止冻结的措施。

4.1.6 管径为 d_n160 及以上的室外供水管道应在上凸段的最高点设置快速排气阀等排气装置,宜在下凹段的最低点设置泄水阀。

4.2　管道布置

4.2.1 胶圈电熔双密封聚乙烯复合供水管道埋地敷设时,不得在构筑物、建筑物、设备的基础下穿越,交叉管道间的垂直净距不宜小于 200mm。

4.2.2 架空或敷设在管廊内的供水管道,应根据水温和环境温度变化情况,进行纵向变形量计算。当采用伸缩变形补偿设计时,应采用固定支座分隔分段补偿,每段不宜超过 100m,管段内设滑动支座。

4.2.3 室外供水管道采用外设保护套管措施时,应符合下列规定:

    1 保护套管应采用钢、铸铁、钢筋混凝土等材料制作;

    2 保护套管的内径不得小于穿越管外径加300mm;

    3 宜减少管材在套管内的接口数量。

4.2.4 埋设管道穿越铁路、高速公路或其他主要交通路线时应符合国家现行有关标准的规定。

4.2.5 管道穿越河道时,应采取抗浮措施,并应减少接口的数量。

4.2.6 管道与阀门、设备装置、构筑物等连接时,应有可靠的固定措施。管道上的阀门等设施应有独立的支承,其重量不得作用在管道上。

4.2.7 供水管道的管道基础回填土层应压实,压实系数应在有关设计文件中明确规定。

4.3 管道水力计算

4.3.1 管道沿程水头损失 h_l 应按下式计算,也可按附录E选用。

$$h_l = \lambda \cdot \frac{L}{d_j} \cdot \frac{v^2}{2g} \quad (4.3.1)$$

式中:h_l——管道水流沿程水头损失(m);

    λ——管道水力摩阻系数;

    L——管段长度(m);

    v——管道内水流的平均流速(m/s);

    d_j——管道的计算内径,可按附录D选用;

    g——重力加速度(9.81m/s²)。

4.3.2 局部水头损失可按公式(4.3.2)计算。在计算资料不足的情况下,管道局部水头损失可按管网沿程水头损失的百分数计算:城市供水管网为8%~12%;其他小区供水管网为12%~18%。

$$h_s = k \cdot \frac{v^2}{2g} \quad (4.3.2)$$

式中：h_s——局部水头损失(m)；

k——局部阻力系数。

4.3.3 水锤压力可按下列公式计算：

$$P_b = \Delta v \cdot \frac{v_b}{g} \quad (4.3.3\text{-}1)$$

$$v_b = \frac{1}{\sqrt{\dfrac{\gamma_w}{g}\left(\dfrac{1}{E_w}+\dfrac{c \cdot d_j}{E_p \cdot e}\right)}} \quad (4.3.3\text{-}2)$$

式中：P_b——20℃条件下，管道的水锤压力(m)；

Δv——管道内水的流速变化值，可取平均流速 v(m/s)；

v_b——压力波回流的速度(m/s)；

γ_w——水的重力密度(kg/m³)；

c——管端固定度，可取 0.75～1.0；

E_w——水的体积模量(kg/m²)；

E_p——管材的弹性模量(kg/m²)；

e——管道的公称壁厚(m)。

4.4 管道工程结构计算

4.4.1 管道工程的结构设计应按国家现行标准《给水排水工程管道结构设计规范》GB 50332、《埋地聚乙烯给水管道工程技术规程》CJJ 101 等的规定执行。

4.4.2 无纵向约束的管段由温差引起的纵向变形量 ΔL，可按下式计算：

$$\Delta L = \alpha \cdot L_f \cdot \Delta t \quad (4.4.2)$$

式中：ΔL——管段纵向变形量(m)；

α——管道的线膨胀系数[m/(m·℃)]，可按表 4.4.2 取值；

L_f——无纵向约束管段的长度(m)；

Δt——在管壁中心处，施工安装与运行使用中的最大温度差(℃)。

表 4.4.2 管道的线膨胀系数 α [mm/(m·℃)]

普通型聚乙烯管	非金属纤维增强型聚乙烯复合管	钢丝增强型聚乙烯复合管
0.15~0.20	0.13~0.18	0.10~0.15

4.4.3 端部完全约束的管段由温差引起的轴向推(拉)力 F_t 可按下式计算：

$$F_t = \alpha \cdot E_l \cdot S_w \cdot \Delta t \quad (4.4.3)$$

式中：F_t——由温差引起的管段轴向推(拉)力(kg)；

E_l——管材纵向弹性模量(kg/m²)；

S_w——管道的管壁环形截面积(m²)。

5 施 工

5.1 一般规定

5.1.1 管道的施工应按设计要求及现行国家标准《给水排水管道工程施工及验收规范》GB 50268、《建筑给水排水及采暖工程施工质量验收规范》GB 50242 等的规定执行。

5.1.2 管道工程施工前应具备下列条件：

　　1 经规定程序审批的施工图纸及其他技术文件齐全，且已进行图纸和施工方案的技术交底，符合施工要求；

　　2 管材、管件、配套接头件、管道支承件和材料、机具、水、电供应等能保证正常施工；

　　3 施工人员已接受过管道安装技术培训，并掌握基本操作要求。

5.1.3 施工现场应对进场的管材、管件、配套接头件等进行检查，核对是否属于同一产品品牌和型号，其规格、颜色、外观质量及长度、不圆度、外径、壁厚等尺寸应符合相应产品标准的规定，并应具有产品质量检测报告、出厂合格证、使用的原材料级别和牌号说明。不得使用不符合标准要求的产品。

5.1.4 管道连接宜采用同牌号级别聚乙烯、型号、压力等级相同的管材、管件及管道附件。管道采用焊接设备，应按产品生产企业的焊接工艺要求实施，使用专用的焊接设备，焊接动力电源应符合焊接设备和焊接工艺的要求。不同牌号级别聚乙烯的管材以及管道附件之间的连接应经过试验，判定连接质量能得到保证后，方可连接。

5.1.5 管道改变管径或接出支管时，应采用配套管件。

5.1.6 管道与金属管道、阀门、消火栓等附件的连接，宜采用活套电熔法兰和胶圈法兰双密封钢塑转换接头连接。采用的活套电熔法兰和双密封钢塑转换接头应经过防腐处理,其转换管件的压力等级不得低于管材公称压力。

5.1.7 管材、管件以及管道附件存放处与施工现场温差较大时,连接前应将胶圈电熔双密封聚乙烯复合供水管材、管件在施工现场放置一段时间,使其温度与施工现场的温度差值接近。

5.1.8 当施工环境温度低于 −5℃时,应采取相应的保温措施;当环境温度超过40℃或太阳辐射较强时,应采取防护措施。

5.1.9 当施工环境风速达到4级以上时,应采取相应的防风挡沙措施。

5.1.10 管道的安装应符合下列规定:

1 胶圈电熔双密封聚乙烯复合供水管材与管件采用胶圈电熔双密封承插连接时,应采用管材生产企业提供的安装设备,并在管材生产企业技术人员指导下进行操作。

2 应采用由管道生产企业提供的电热熔焊接所需电压、电流、焊接时间、冷却时间等工艺参数。电熔连接机具输出电流、电压应稳定,符合电熔连接工艺要求。使用前应用万能表复核电熔连接机具输入与输出电流、电压是否一致,有误差时应及时联系生产企业进行调整或修复后方可使用。

3 管材、管件安装时,打开包装物并用洁净棉布擦净承口与插口接触面上的污物,并用万能表检测检查电热丝是否合格。

4 当现场安装胶圈时,胶圈应由管材生产企业提供,放入时承口胶圈槽应先清理干净,并正确放入槽内,不得装反或扭曲。

5 插入时,橡胶密封圈可涂刷润滑剂,润滑剂应对管材、管件、橡胶密封圈无损害作用,且无毒、无味,不会滋生细菌。不得将润滑剂涂在电熔区和插口表面或涂刷过多润滑剂溢流污染电熔区。

6 施工环境温度低于8℃或超过32℃时,应调整电熔连接的工艺参数,并经过试验,判定连接质量能得到保证后,方可连接。

7 管道施工温差较大时,应在温度较低时安装并焊接。

5.1.11 管道的施工应符合下列规定:

　　1 应准确测量承口深度,并在插口部位标明需插入有效长度的标记。

　　2 应采用专用工具刮除插口、承口电熔接触处的全部氧化层,管材与密封胶圈接触面不宜被刮除。

　　3 将插口端对准承口,并使两条管道轴线对齐在一条平直线上,将其一次插入,直至标记线均匀外露在承口端部。为保证对接口平直,可垫方木等找平,但电熔焊冷却后应将方木取出。

　　4 管材、管件接口承插后松紧度应符合胶圈、电热熔连接要求,承口、插口尺寸不匹配不宜使用。

　　5 小口径管道插入时宜用人力在管端垫木块用撬棍(或大锤)将管材、管件推入到位的方法。大口径管道可用手扳葫芦等专用牵引工具拉入。不得用挖土机等施工机械推顶管插入。d_n50mm~d_n90mm 管材宜采用人工推入;d_n110mm~d_n200mm 管材宜采用1t紧线器拉入;d_n200mm 以上的管材宜采用1只~2只1.5t手扳葫芦两侧对称均匀拉入。推入时应对电熔接线柱进行有效保护。

　　6 涂刷润滑剂时,应将润滑剂均匀地涂在已装入承口内的胶圈表面上,插入时阻力过大应将管材拔出,检查胶圈是否扭曲,不得强行插入。

　　7 切割管材应采用机械切割方法,切割端面应平整且应与管道轴线垂直。切断管材端面裸露的增强材料应进行再密封防渗处理,严禁用明火烧割。

　　8 将管材插口端制成不大于4mm的倒角,角度不宜大于15°,插口不应有裸露增强材料或锐角。

　　9 进行电熔焊接前,标有插入深度记号的管道接口应无轴向位移或不同轴线,当有轴向位移或不同轴线时,应进行复位后方可焊接施工。

10 管道在连接后进行电熔焊接冷却期间,不得移动连接件或在连接件上施加任何外力。

5.1.12 管道的施工应配合土建结构施工进度,做好管道穿越墙体等结构的预留洞,预埋套管和预埋件。孔洞尺寸和位置应符合设计要求。管道安装前应检查和核对预留洞和穿墙套管的位置和标高。

5.1.13 室内供水管道的穿墙套管长度不得小于墙体厚度,穿楼板套管应高出楼板结构面 50mm,穿地面套管应高出地坪面 100mm。当设计无要求时,套管内径可比供水管外径大 50mm。供水管与套管之间空隙应采用填缝材料填实后封堵。穿越外墙时,应按设计要求采取防水措施。

5.1.14 管道不得作为拉攀、吊架、支架等使用。严禁冲击管道或在管道上钉金属钉等尖锐物体。

5.1.15 管道安装时应随时清扫管道中的杂物。临时停止施工时,管道的开口部位应及时封堵。

5.1.16 供水管道采用保护套管时,应在穿管前对穿越部分进行管道水压试验,并做好隐蔽工程验收。

5.1.17 供水管道泄空时应采取补偿进气、控制泄空排放速度等措施,避免形成可能对管道系统造成破坏的负压现象。

5.1.18 操作现场不得有明火,不得对管材进行明火烘弯,应防潮和防污染。管道连接采用电热熔工具时,应遵守电器工具安全操作规程。

5.1.19 当管道用于水平定向钻法管道穿越工程时,应根据管道的性能,按国家现行有关标准的规定执行。

5.2 储 运

5.2.1 管材和管件的存放应符合国家现行有关标准的消防要求。

5.2.2 管材和管件应存放在通风良好的库房或有顶的棚内,距热源不得小于1m,环境温度不宜超过40℃,并应避免接触腐蚀性试剂或溶剂。

5.2.3 管件不应露天存放。存放管件时,管件应逐层码堆,固定可靠,堆放高度不宜超过1.5m。

5.2.4 管材存放时,应水平堆放在干净、平整垫有木方等场地上,支撑木方的间隔不应超过1.5m,单根木方的支撑宽度不宜小于0.25m。管道承口与插口应交替摆放整齐,承口部分应悬出插口端部,确保承口与插口不被挤压变形,堆放高度不宜超过1.5m,并保护好管材承口、插口包装物完整,且应有防滚动、防坍塌措施。当受条件限制,管材需露天存放时,应有防止阳光直射、暴晒的措施。

5.2.5 管材与管件在装卸、搬运和堆放时,应小心轻放、不得划伤,避免油污和化学品污染,严禁剧烈撞击和与尖锐物品碰触,不得抛、摔、滚、拖。管材运输时应全长支撑,并与车辆牢固固定。

5.2.6 装卸时吊索应采用较宽的柔韧皮带、吊带或绳,不得采用钢丝绳或铁链等金属绳索直接接触吊装管材。管材宜采用两个吊点起吊,不得采取用绳索贯穿管材两端的方式装卸管材。

5.3 埋地敷设

5.3.1 埋地管道应敷设在原状土地基或开挖后经处理回填密实的地基上。沟槽的开挖、回填应根据土质情况及地下水位情况判断是否需要采取支撑、放坡及降水措施。

5.3.2 管道沟槽的开挖应符合下列规定:

1 管道沟槽的平面位置和标高开挖应符合设计要求,沟槽边坡可根据施工现场环境、槽深、地下水位、土质条件、施工设备和季节影响等因素确定。

2 当管径 d_n <500mm 时,管道每边净宽不宜小于 0.3m; d_n ≥500mm 时,管道每边净宽不宜小于 0.5m。

3 开挖沟槽时应控制基底高程,不得扰动基底原状土层。人工开挖且无地下水时,槽底预留值宜为 100mm～150mm;机械开挖或有地下水时,槽底预留值不应小于150mm。开挖土方时,槽底高程允许偏差应为±20mm;开挖石方时,高程允许偏差应为(+20mm、-200mm)。基底设计标高以上的原状土层,应在铺管前用人工清理至设计标高。如遇超挖或发生扰动情况,应用最大粒径小于40mm的砂石料回填,并整平夯实至95%密实度,严禁用杂土回填。在槽底如有尖硬物体,应清除后用砂石做回填处理。

4 在地下水位高于沟槽底的槽段,地下水位应降到槽底最低点以下。槽底不得受水浸泡。若采用人工降水措施,应待地下水位稳定降至沟槽底以下时方可开挖。管道在敷设、回填的全部过程中,槽底不得积水或受冻。必须在回填土超过管顶0.5m和管道达到抗浮要求后,方可停止降低地下水的措施。

5.3.3 埋地敷设的供水管道应按柔性管采用土弧基础进行施工,并应符合下列要求:

1 对一般土质,应在管底以下原状土地基或经回填夯实的地基上铺一层厚度100mm的中粗砂基础层。基础层密实度应为85%~90%。采用原状土地基时,地基不得受扰动;

2 槽底为岩石或有可能损伤管材的坚硬地基时,应按设计要求施工;无设计要求时,管底应铺设砂垫层,厚度宜为150mm~200mm。

3 当沟槽基底遇有松软地基、流沙、溶洞、墓穴等地基承载力小于设计要求的支承强度或地基承载能力降低时,应与设计单位商定地基处理措施,对地基进行加固处理,在达到规定的地基承载力后,再铺设中粗砂基础层。

4 管道地基处理宜采用砂桩、块石灌注桩等复合地基处理方法。不得采用打入桩及混凝土垫块、混凝土条基等刚性地基处理措施。

5.3.4 管道的铺设应符合下列要求:

1 搬运管材下管时,应轻抬、轻放,严禁在沟槽内拖拉、滚动或用铲车、叉车、拖拉机牵引等搬运管材。

2 铺管时沟槽内不得存水,不得泡槽或沟槽土受冻。管道接口部位的管底凹槽,宜在铺管时随挖随铺。凹槽长度可按接口长度确定,深度可采用50mm～100mm,宽度不宜小于管道外径。在接口完成后,立即用中粗砂将凹槽部分回填密实。

5.3.5 管道连接时应对连接部位的承口、插口、橡胶圈、电热熔区清理干净,不得附有土、水和其他杂质。法兰连接采用的活套法兰、螺栓等金属制品,应根据现场土质采取防腐蚀措施。

5.3.6 埋地管道宜在沟槽内自然弯曲敷设。

5.3.7 埋地管道安装后应复测管道高程,合格后方可进行回填。

5.3.8 管道沟槽回填施工应符合下列要求:

1 管道敷设后应立即进行沟槽回填。在管道密闭性检验前,除接头部位可外露外,管道两侧和管顶以上的回填高度不宜小于0.5m;密闭性检验合格后,应及时回填其余部分。

2 管道沟槽回填时,沟槽内应无积水和杂物,不得带水回填,回填时不得损伤管道及管道附件。槽底至管顶以上700mm范围内,不得回填淤泥、有机物、超过允许粒径的砖石等硬块。管顶以上300mm范围内硬块允许粒径应小于10mm;300mm～700mm范围内硬块允许粒径应小于50mm。冬季回填时,管顶700 mm以上范围可均匀掺入冻土,但其数量不得超过回填土总体积的15%,且冻土块的最大尺寸不得超过100mm。

3 沟槽回填应从管道两侧同时对称进行,逐层夯实,确保管道不产生位移。必要时宜采取临时限位措施,防止管道移动或上浮。每层回填土厚度应按压实工具和压实度确定。常用压实工具的回填土厚度可按表5.3.8选用。

表5.3.8 常用压实工具的回填土厚度（mm）

压实工具	每层回填土厚度	压实工具	每层回填土厚度
木夯、铁夯	150～200	普通压路机	300～400
轻型压实设备	250～300	振动压路机	400～500

4 从管底基础到管顶以上0.7m范围内,必须采用人工回

填,严禁用机械推土回填,可采用木夯或轻型压实设备;管顶0.7m以上沟槽采用机械回填时应从管轴线两侧同时均匀进行,可采用普通压路机压实;1.0m以上可用振动式压路机夯实。每层回填土的压实遍数,应按设计要求的压实度、使用的压实工具、覆土厚度和含水量,经现场试验确定。管道两侧腋角部位应按每层150mm人工投填,并逐层夯实至设计要求密实度。

5 当设计无要求时,沟槽回填土的密实度应符合下列规定:

  1) 对管底基础层,应按本规程第5.3.3条第1款的规定回填。

  2) 管底点到管底以上$0.3d_n$的管底腋角部位,应采用中、粗砂回填,密实度不应小于93%。

  3) 管道腋角部位以上至管顶两侧范围内,密实度不应小于90%,可采用符合密实度要求的沟槽挖土。当沟槽土不能达到密实度要求时,应采用中、粗砂回填。

  4) 管顶以上0.5m范围内,管顶上部回填土的密实度不应小于85%,管顶上部两侧不应小于90%。

  5) 管顶0.5m以上范围内,可按地面或道路要求的密实度回填,但不宜小于80%。

5.3.9 当管道覆土较浅,或压实工具的载荷较大,或以原土回填达不到要求的密实度时,可与设计协商采用石灰土、砂砾、石粉等结构强度较高的其他材料回填。

5.3.10 管道敷设时,管材和管件等外壁上的标识应位于管道顶面。埋地管道覆土后,宜在地面设置标志,标明暗管的位置和走向。

5.3.11 管道用于埋地消防时应符合现行国家标准《消防给水及消火栓系统技术规范》GB 50974中的相关规定。

5.4 架空敷设

5.4.1 管道在管廊内、室外、室内等场所架空敷设时,应按设计要求布置固定或滑动支吊架。管道支吊架应设 U 形支承座。U 形支承座的长度宜为 $0.6d_n \sim 0.8d_n$,对管底形成的弧形包络长度不宜小于管材周长的 1/4。管材与支撑座之间应铺垫厚度不小于 5mm 的柔性衬垫。

5.4.2 架空管道可在管架附近的地面连接。管道上架前应先检查管道支吊架是否符合设计要求。采用临时支架支撑的,应确保临时支架牢固,且不得占用正式支吊架位置。临时支吊架在试压前应更换为正式支吊架。

5.4.3 管道支架布管时,应符合设计要求,并逐根布置,不得将管道集中堆放于某一框架或管廊上。

5.4.4 无热位移的架空管道,吊杆应垂直安装;有热位移的管道,吊点应设在位移的相反方向,并按位移值的 1/2 偏位安装。两根热位移相反或位移值不等的管道不得使用同一吊杆。

5.4.5 支吊架的型式、材质、加工尺寸、制造质量和防腐蚀要求等应符合国家现行有关标准的规定。

5.4.6 支吊架应按设计要求安装牢固,管道位置和坡度应正确。立管支架(管卡)应锚固在墙体或立柱内。当房屋结构为非承重墙体时,应在立管位置设置安装和锚固支架用的支承构件。横管吊架可锚固在楼板、梁和屋架上;横管托架应锚固在墙体内。

5.4.7 立管支架的承载力必须大于其支承长度范围内的立管自重和管内水重。在多层房屋中,不得将上层立管的重量作用在下层的立管支架上。

5.4.8 立管支架的间距应满足立管垂直度要求,支架间最大距离应符合下列规定:

1 当 $d_n \leqslant 200mm$ 时,不得大于 2.4m;当 $d_n > 200mm$ 时,不得大于 3.0m。

2 多层房屋内每层不得少于 1 个支架,与楼面的距离不宜小于 0.6m。

5.4.9 立管上连接弯头、三通、四通和异径管等管件的部位应安装支架。支架的承载力应大于由管道设计内压产生的轴向推力。支架宜安装在管道接头和管道上安装管件部位的下方。

5.4.10 水平管道的支吊架最大间距应按表 5.4.10 确定。

表 5.4.10 水平管道的支吊架最大间距

管道公称外径 d_n(mm)	50	63	75	90	110	140	160	200	225	250	315	355	400	450	500	560	630	710	800
管道支吊架最大间距(m) 普通型管	0.9	1.1	1.2	1.4	1.6	1.9	2.1	2.3	2.5	2.6	3.0	3.4	3.7	4.1	4.6	5.2	5.7	6.0	6.2
非金属增强型管	1.0	1.2	1.3	1.5	1.7	2.0	2.3	2.5	2.8	3.0	3.4	3.7	4.1	4.6	5.2	5.7	6.1	6.3	6.5
金属增强型管	1.2	1.3	1.5	1.7	1.9	2.2	2.6	3.0	3.4	4.0	4.5	5	5.4	5.8	6.2	6.7	7.3	7.4	7.6

5.4.11 水平管道的支吊架宜安装在管道接头的一侧。水平管道上连接弯头、三通、四通和异径管等管件的部位,应按管道设计内压产生的轴向推力在管件两端设置能防止管道水平位移的固定吊架(托架)。当水平管道长度大于 12m 时,每 12m 应设置防止管道横向位移的支吊架。

5.4.12 立管、水平管道与墙、板等构件以及其他管道的最小距离,不得小于安装和检修胶圈电熔双密封聚乙烯复合管道需要的最小空间。安装管道用的支吊架(托架)宜采用管材生产厂提供的配套产品。

5.4.13 立管、水平管道的支吊架不得设在管道的接头或管件处,支吊架(托架)距管道上接头和管件外边的净空不得小于安装支吊架需要的最小距离。

5.4.14 管道架空或明设时应采取防紫外线保护措施。

5.5 水下埋设

5.5.1 在江、河、湖水下埋设管道的施工方案及设计文件应报河道或水利管理部门、航运交通管理部门等审查批准,施工组织设计应征得河道或水利管理部门、航运交通管理部门等同意。

5.5.2 主管部门批准的对江、河、湖的断流、断航、航管等措施应预先公告。

5.5.3 工程开工时,应在埋设管道位置的两侧水体各50m距离处设置警戒标志。

5.5.4 施工时应符合水上水下作业安全操作规程。

5.5.5 管槽开挖前,应测出管道轴线,并在两岸管道轴线上设置固定醒目的岸标。施工时岸上设专人用测量仪器观测,校正管道施工位置。

5.5.6 两岸应设置水尺,水尺零点标高应经常校检。

5.5.7 沟槽宽度及边坡坡度应符合设计要求;当设计无要求时,沟槽宽度及边坡坡度应根据水底泥土流动性和挖沟方法确定,但最小沟底宽度不应小于管道外径加1m。

5.5.8 管道下水前应在岸上预先连接成管段,宜减少过河管段的接头数量。在沟边预制、横向移动下水时,应多点起吊,控制管道弯曲半径应符合本规程第4.1.4条的规定;在管沟延长线上预制、纵向牵引下水时,预制长度不宜超过400m。预制管段长度应比水下长度超出至少20m,试压合格后方可移至水面进行沉管作业。

5.5.9 沉管时应从管道一端灌水入管,使管段顺次沉没。沉管就位后,应及时回填,并将管道两端封堵。

5.5.10 管道在河床下埋设深度应符合设计要求。当设计无要求时,对于无通航河道,管道应埋设在河床扰动层以下,管顶与扰动层距离不应小于1m;有船舶航行的河道,管顶与扰动层的距离不得小于2m。

5.6 水压试验、冲洗、消毒

5.6.1 管道工程敷设和安装完毕后,宜分段进行系统水压试验。分段试压管段的长度不宜大于1.0km。对于无法分段试压的管道,应根据工程具体情况确定。

5.6.2 水压试验前,应做好下列准备工作:
 1 管道系统安装完毕,外观检查合格,并符合设计要求和管道安装施工的有关规定;
 2 埋地管道的坐标标高、坡度和管基、垫层、止推墩、支礅和锚固设施等经复查合格,试验用的临时加固措施经检查确认安全可靠,除接口部位(长度1.0m)外其余已回填,回填土厚度大于500mm;
 3 支吊架安装完毕,配置正确,紧固可靠;管线施工临时用的夹具、支吊架、堵板、盲板等已清除;管道上的伸缩节已设置了临时约束装置;
 4 试验管段上的所有连接部位均便于检查,所有敞口均应封闭,不得有渗漏水现象;
 5 试验管段不得包括水锤消除器、室外消火栓等管道附件,系统包含的各类阀门应处于全开状态;不能参与试验的系统、设备、消火栓、安全阀、仪表及管道附件等应可靠隔离,不得用阀门作为封堵;
 6 进、排水管路和排气孔应合理布置;
 7 管内垃圾、杂物应清理干净,管道应进行充水浸泡,时间不少于12h;
 8 采用弹簧压力计时,精度不应低于1.5级,最大量程应为试验压力的1.3~1.5倍,表盘直径不宜小于150mm,且压力表不得少于2块,使用前应经校正并具有符合规定的检定证书。

5.6.3 管道试压应采用洁净的水源。注水前在试验管段上游的管顶及管段中的高点应设置排气阀,向管道内注水应从下游缓慢注入,将管道内的气体排除。冬季进行压力管道水压试验时,应采取防冻措施。

5.6.4 管道升压时,管道内的气体应排除;升压过程中,当发现弹簧压力计表针摆动、不稳、且升压较慢时,应重新排气后再升压。

5.6.5 管道应分级升压,每升一级应检查管道后背、支墩、管身及接口,无异常现象时再继续升压。

5.6.6 水压试验过程中,应划定禁区,无关人员不得进入,后背顶撑和管道两端不得站人。

5.6.7 水压试验时当发现泄漏时,不得带压修补缺陷;遇有缺陷时应做出标记,并在泄压后修补。应在缺陷消除后重新进行试验。

5.6.8 水压试验静水压力的最低压力值不得小于管道系统的最大设计内水压力,不得用气压试验代替水压试验。

5.6.9 埋地胶圈电熔双密封聚乙烯普通型复合供水管道的水压试验应分预试验阶段和主试验阶段两个阶段进行。

5.6.10 埋地胶圈电熔双密封聚乙烯普通型复合供水管道水压预试验阶段应按下列步骤进行:

　　1 将试压管道内的水压降至大气压,并持续60min,期间应确保空气不进入管道;

　　2 缓慢地将管道内水压升至试验压力并稳压30min,期间如有压力下降可注水补压,但不得高于试验压力。检查管道接口、配件等处有无渗漏现象。当有渗漏现象时应中止试压,并查明原因采取相应措施后重新组织试压;

　　3 停止注水补压并稳定60min。当60min后压力下降不超过试验压力的70%时,则预试验阶段的工作结束。当60min后压力下降不超过试验压力的70%时,应停止试压,并应查明原因采取相应措施后再组织试压。

5.6.11 埋地胶圈电熔双密封聚乙烯普通型复合供水管道水压主试验阶段应按下列步骤进行:

　　1 在预试验阶段结束后,迅速将管道泄水降压,降压量应为试验压力的10%~15%,期间应准确计量降压所泄出的水量ΔV,当ΔV大于ΔV_{max}时,应停止试压,泄压后应排除管内过量空气,再按本规程第5.6.10条第2款开始重新试验。允许泄出的最大水量ΔV_{max}可按下式计算:

$$\Delta V_{max} = 1.2 \cdot V \cdot \Delta P \cdot [1/E_w + d_j/(e \cdot E_p)] \quad (5.6.11)$$

式中：ΔV_{max}——允许泄出的最大水量(L)；
　　　V——试压管段总容积(L)；
　　　ΔP——过压管段降压量(MPa)；
　　　E_w——水的体积模量（MPa），不同水温时 E_w 值可按表 5.6.11 选用；
　　　E_p——管材弹性模量（MPa），与水温及试压时间有关；
　　　d_j——管材计算内径(m)；
　　　e——管材公称壁厚(mm)。

表 5.6.11　不同温度下水的体积模量

水温(℃)	5	10	15	20	25	30
水的体积模量 E_w(MPa)	2080	2110	2140	2170	2210	2230

2　每隔 3min 记录一次管道剩余压力，应记录 30min。当 30min 内管道内剩余压力有上升趋势时，水压试验结果合格。

3　30min 内管道内剩余压力无上升趋势时，应再持续观察 60min。当在整个 90min 内压力下降不超过 0.02MPa，则水压试验结果合格。

4　当主试验阶段不能满足本条第 2 款和第 3 款时，水压试验结果不合格，应查明原因采取相应措施后再组织试压。

5.6.12　埋地胶圈电熔双密封聚乙烯增强型复合供水管道的水压试验要求和现场水压试验设施、装置和试验方法，可按现行协会标准《埋地硬聚氯乙烯给水管道工程技术规程》CECS 17 和国家标准《给水排水管道工程施工及验收规范》GB 50268 等的规定执行，并应符合下列规定：

1　当管道长度大于 500m、管径 d_n 不小于 200mm 时，水压试验应采用测定管道渗水量的方法判定，系统的补水量 Q 不得大于按公式(5.6.12)计算的最大值。

$$Q \leqslant 0.4 \cdot d_j \cdot P_t \qquad (5.6.12)$$

2　当管道长度小于 500m、d_n 小于 200mm 时，水压试验可采用压力降方法。压力降方法试验结果应符合下列规定：

1）供水管道在试验压力 P_t(MPa)作用下稳压 1h,压力降不得大于 0.05MPa;
2）然后在 1.15 倍工作压力 P_w(MPa)作用下稳压 2h,压力降不得大于 0.03MPa。

5.6.13 架空敷设的供水管道系统的水压试验可采用压力降方法,按本规程第 5.6.12 条第 2 款的规定执行。

5.6.14 埋地供水管道试压合格后应按本规程第 5.3.8 条的要求,全面回填到与地面相平。

5.6.15 供水管道系统试压合格后,在竣工验收前,应对系统进行冲洗、消毒,不得留有死角。

5.6.16 供水管道系统冲洗、消毒时,在系统的最低点应设放水口。冲洗水应清洁,浊度应小于 5NTU,冲洗流速应大于 1.0m/s,冲洗时间控制在冲洗出口处排水的水质与进水相一致为止。

5.6.17 生活供水系统冲洗后,应用有效氯浓度为 20mg/L～30mg/L 的清洁水灌满管道进行浸泡消毒 24h 以上,不得留有死角。管道消毒后,应再次冲洗,并采取末端取水检验方式。当水质不合格时,应重新消毒、冲洗,直至取样检验合格为止,方可交付使用。

6 验 收

6.0.1 管道工程应在竣工验收合格后方可投入使用。

6.0.2 工程验收应包括下列内容：

1 施工单位在工程完工后,对工程质量自检合格,检验记录完整,并提出工程竣工报告；

2 工程资料齐全；

3 有施工单位签署的工程质量保修书；

4 监理单位对施工单位的工程质量自检结果予以确认。

6.0.3 隐蔽工程验收,应包括下列各项内容,并应填写中间验收记录。

1 管材、管件、附属设备进场检查；

2 管道及附属构筑物的地基和基础；

3 管道支墩设置,井室等构筑物的砌筑情况；

4 弯头、三通等管件的连接,穿井室等构筑物,金属阀门防腐等；

5 管道穿越铁路、公路、河流等工程的情况；

6 地下管道的交叉处理；

7 管道分段水压试验；

8 管道回填土压实系数检验记录；

9 随管道埋地铺设的示踪线及警示带的记录和资料；

10 管道消毒后水质检验报告。

6.0.4 工程竣工验收应由建设单位组织,可按下列程序进行：

1 工程完工后,施工单位应按本规程第 6.0.2 条的要求完成验收准备工作,并向监理单位提出验收申请。

2 监理单位对施工单位提交的工程竣工报告、竣工资料及其他材料进行初审,合格后向建设单位提出验收申请。

3 建设单位组织设计、监理及施工单位对工程进行验收。

4 验收合格后,各个单位签署验收纪要,建设单位及时将竣工资料、文件归档。

5 验收不合格,应提出书面意见和整改内容,签发整改通知,限期完成。整改完成后重新验收。整改书面意见、整改内容和整改通知单应编入竣工资料文件中。

6.0.5 竣工资料的收集、整理工作应与工程建设同步,工程完工后应及时做好整理和移交工作。整体工程竣工资料宜包括下列内容:

1 工程项目建设合同文件、招投标文件、设计变更文件、工程量清单;

2 图纸会审记录、技术交底记录、施工组织设计等;

3 开工报告、竣工报告、工程变更单、工程保修书等;

4 材料及设备等的出厂合格证明、试验记录、材质书、检验报告、相关技术参数的设备卡等;

5 施工记录:测量记录、隐蔽工程验收记录及有关资料、沟槽及回填合格记录、焊接记录、管道功能性试验记录、阀门试验记录等;

6 冲洗及消毒后水质化验报告;

7 竣工图纸;

8 重大质量事故分析及处理报告、工程质量事故处理记录、工程质量评定记录等;

9 在施工中受检的其他合格记录。

附录 A 胶圈电熔双密封聚乙烯复合供水管材的规格尺寸

A.0.1 胶圈电熔双密封聚乙烯普通型复合供水管材规格应符合表 A.0.1 的规定。

表 A.0.1 胶圈电熔双密封聚乙烯普通型复合供水管材规格尺寸

公称外径 d_n (mm)		公称压力（MPa）			
		0.6	0.8	1.0	1.6
基本尺寸	极限偏差	公称壁厚及极限偏差（mm）			
50	+1.2	—	—	—	4.6
63	+1.2	—	—	—	5.8
75	+1.2	—	—	4.5	—
90	+1.4	—	—	5.4	—
110	+1.5	4.2	5.3	—	—
140	+1.7	5.4	6.7	—	—
160	+2.0	6.2	7.7	—	—
200	+2.3	7.7	9.6	—	—
225	+2.5	8.6	10.8	—	—
250	+2.5	9.6	11.9	—	—
315	+2.7	12.1	15.0	—	—
355	+2.8	13.6	16.9	—	—
400	+3.0	15.3	19.1	—	—
450	+3.3	17.2	21.5	—	—
500	+3.2	19.1	23.9	—	—
560	+3.2	21.4	26.7	—	—
630	+3.2	24.1	30.0	—	—
710	+3.5	27.2	33.9	—	—
800	+3.5	30.6	38.1	—	—

A.0.2 胶圈电熔双密封聚乙烯非金属增强型复合供水管材规格应符合表 A.0.2 的规定。

表 A.0.2 胶圈电熔双密封聚乙烯非金属增强型复合供水管材规格尺寸

公称外径 d_n (mm)		公称压力（MPa）					
		1.0	1.4	1.6	2.0	2.5	3.5
基本尺寸	极限偏差	最小壁厚（mm）					
50	+1.2	—	—	—	5.5	6.5	6.5
63	+1.2	—	—	—	5.5	6.5	6.5
75	+1.2	—	—	5.0	6.0	6.5	7.0
90	+1.4	—	—	5.5	6.0	7.0	7.0
110	+1.5	5.5	6.0	7.0	7.0	8.5	10.0
140	+1.7	6.0	7.0	8.0	8.5	10.0	11.0
160	+2.0	6.5	8.0	9.0	9.5	11.0	12.5
200	+2.3	7.0	8.5	9.5	10.5	12.5	14.0
225	+2.5	8.0	9.0	10.0	12.0	13.0	—
250	+2.5	10.5	11.0	12.0	13.5	15.0	—
315	+2.7	11.5	12.0	13.0	15.0	18.0	—
355	+2.8	12.0	13.0	14.0	17.0	20.0	—
400	+3.0	12.5	14.0	15.0	18.0	—	—
450	+3.3	13.5	16.0	18.0	20.0	—	—
500	+3.2	15.5	18.0	21.0	24.0	—	—
560	+3.2	20.0	24.0	26.0	—	—	—
630	+3.2	23.0	27.0	30.0	—	—	—
710	+3.5	27.0	33.0	36.0	—	—	—
800	+3.5	30.0	38.0	42.0	—	—	—

A.0.3 胶圈电熔双密封聚乙烯金属增强型复合供水管材规格尺寸应符合表 A.0.3 的规定。

表 A.0.3 胶圈电熔双密封聚乙烯金属增强型复合供水管材规格尺寸

公称外径 d_n (mm)		公称压力（MPa）					
		1.0	1.4	1.6	2.0	2.5	3.5
基本尺寸	极限偏差	最小壁厚（mm）					
50	+1.2	—	—	—	5.5	6.5	6.5
63	+1.2	—	—	—	5.5	6.5	6.5
75	+1.2	—	—	5.0	6.0	6.5	7.0
90	+1.4	—	—	5.5	6.0	7.0	7.0
110	+1.5	5.5	6.3	7.0	7.0	8.5	10.0
140	+1.7	6.0	7.0	8.0	8.5	10.0	11.0
160	+2.0	6.5	8.0	9.0	9.5	11.0	12.5
200	+2.3	7.0	8.5	9.5	10.5	12.5	14.0
225	+2.5	8.0	9.0	10.5	12.0	13.0	—
250	+2.5	10.5	11.0	12.0	13.5	15.0	—
315	+2.7	11.5	12.0	13.0	15.0	18.0	—
355	+2.8	12.0	13.0	14.0	17.0	20.0	—
400	+3.0	12.5	14.0	15.0	18.0	—	—
450	+3.3	13.5	16.0	18.0	20.0	—	—
500	+3.2	15.5	18.0	21.0	24.0	—	—
560	+3.2	20.0	24.0	26.0	—	—	—
630	+3.2	23.0	27.0	30.0	—	—	—
710	+3.5	27.0	33.0	36.0	—	—	—
800	+3.5	30.0	38.0	42.0	—	—	—

附录B 胶圈电熔双密封聚乙烯复合供水管材增强钢丝最少条数和最小直径

表B 胶圈电熔双密封聚乙烯复合供水管材增强钢丝最少条数和最小直径

管道公称外径 d_n (mm)	管道公称压力 P_N (MPa)											
	1.0		1.4		1.6		2.0		2.5		3.5	
	钢丝条数(根)	钢丝直径(mm)	钢丝条数(根)	钢丝直径(mm)	钢丝条数(根)	钢丝直径(mm)	钢丝条数(根)	钢丝直径(mm)	钢丝条数(根)	钢丝直径(mm)	钢丝条数(根)	钢丝直径(mm)
50	—	—	—	—	—	—	20	0.6	26	0.6	32	0.6
63	—	—	—	—	—	—	28	0.6	36	0.6	44	0.6
75	—	—	—	—	24	0.6	36	0.6	48	0.6	66	0.6
90	—	—	—	—	40	0.6	60	0.6	80	0.6	110	0.6
110	44	0.6	60	0.6	60	0.6	84	0.6	66	0.8	84	0.8
140	60	0.6	80	0.6	80	0.6	120	0.6	100	0.8	100	1.0
160	68	0.6	96	0.6	96	0.6	130	0.6	116	0.8	124	1.0
200	110	0.6	110	0.8	110	0.8	140	0.8	130	1.0	180	1.2
225	100	0.8	140	0.8	140	0.8	150	0.8	150	1.0	—	—
250	120	0.8	160	0.8	160	0.8	144	1.0	180	1.0		
315	210	0.8	210	1.0	210	1.0	300	1.0	300	1.2		
355	200	1.0	240	1.1	240	1.1	330	1.1	360	1.2		
400	250	1.0	300	1.1	300	1.1	300	1.2	—	—		
450	270	1.0	390	1.1	390	1.1	390	1.2				
500	340	1.0	400	1.2	400	1.2	400	1.4				
560	280	1.2	400	1.4	400	1.4	—	—				
630	340	1.2	440	1.4	440	1.4						
710	420	1.2	500	1.4	500	1.4						
800	480	1.1	600	1.4	600	1.4						

附录 C 胶圈电熔双密封聚乙烯管件的规格尺寸

C.0.1 胶圈电熔双密封单承单插 45°弯头规格尺寸应符合表 C.0.1 的规定。

表 C.0.1 胶圈电熔双密封单承单插 45°弯头规格尺寸(mm)

管件示意图	公称外径 d_n	承口深度 $L\geqslant$	熔区长度 $L_1\geqslant$	插口长度 $L_2\geqslant$
胶圈电熔双密封单承单插 45°弯头	75	120	30	125
	90	130	30	135
	110	135	35	140
	140	145	35	150
	160	152	40	160
	200	170	40	180
	225	175	40	185
	250	180	45	190
	315	200	50	210
	355	220	60	225
	400	230	70	235
	450	240	80	240
	500	250	90	250
	560	260	100	260
	630	270	100	270
	710	310	120	310
	800	320	120	320

C.0.2 胶圈电熔双密封双承45°弯头规格尺寸应符合表C.0.2的规定。

表 C.0.2 胶圈电熔双密封双承45°弯头规格尺寸(mm)

管件示意图	公称外径 d_n	承口深度 $L \geqslant$	熔区长度 $L_1 \geqslant$
胶圈电熔双密封双承45°弯头	75	120	30
	90	130	30
	110	135	35
	140	145	35
	160	152	40
	200	170	40
	225	175	40
	250	180	45
	315	200	50
	355	220	60
	400	230	70
	450	240	80
	500	250	90
	560	260	100
	630	270	100
	710	310	120
	800	320	120

C.0.3 胶圈电熔双密封单承单插90°弯头规格尺寸应符合表C.0.3的规定。

表C.0.3 胶圈电熔双密封单承单插90°弯头规格尺寸(mm)

管件示意图	公称外径 d_n	承口深度 $L \geqslant$	熔区长度 $L_1 \geqslant$	插口长度 $L_2 \geqslant$
胶圈电熔双密封单承单插90°弯头	75	120	30	125
	90	130	30	135
	110	135	35	140
	140	145	35	150
	160	152	40	160
	200	170	40	180
	225	175	40	185
	250	180	45	190
	315	200	50	210
	355	220	60	225
	400	230	70	235
	450	240	80	240
	500	250	90	250
	560	260	100	260
	630	270	100	270
	710	310	120	310
	800	320	120	320

C.0.4 胶圈电熔双密封双承90°弯头规格尺寸应符合表C.0.4的规定。

表 C.0.4 胶圈电熔双密封双承90°弯头规格尺寸(mm)

管件示意图	公称外径 d_n	承口深度 $L \geqslant$	熔区长度 $L_1 \geqslant$
胶圈电熔双密封双承90°弯头	75	120	30
	90	130	30
	110	135	35
	140	145	35
	160	152	40
	200	170	40
	225	175	40
	250	180	45
	315	200	50
	355	220	60
	400	230	70
	450	240	80
	500	250	90
	560	260	100
	630	270	100
	710	310	120
	800	320	120

C.0.5 胶圈电熔双密封单承双插三通规格尺寸应符合表 C.0.5 的规定。

表 C.0.5 胶圈电熔双密封单承双插三通规格尺寸(mm)

管件形状图	公称外径 d_n	承口深度 $L\geqslant$	熔区长度 $L_1\geqslant$	插口长度 $L_2\geqslant$	丁端公称直径 d_{n1}	丁端插口长度 $L_3\geqslant$
胶圈电熔双密封单承双插三通	75	120	30	125	50	80
					63	90
					75	125
	90	130	30	135	50	80
					63	90
					75	125
					90	135
	110	135	35	140	50	80
					63	90
					75	125
					90	135
					110	150
	140	145	35	150	75	125
					90	135
					110	150
					140	160
	160	152	40	160	75	125
					90	135
					110	150
					140	160
					160	170
	200	170	40	180	75	125
					90	135
					110	150

续表 C.0.5

管件形状图	公称外径 d_n	承口深度 $L\geq$	熔区长度 $L_1\geq$	插口长度 $L_2\geq$	丁端公称直径 d_{n1}	丁端插口长度 $L_3\geq$
胶圈电熔双密封单承双插三通	200	170	40	180	140	160
					160	170
					200	185
	225	175	40	185	160	170
					200	185
					225	185
	250	180	45	190	90	135
					110	150
					140	160
					160	170
					200	185
					225	185
					250	190
	315	200	50	210	110	150
					160	170
					200	185
					225	185
					250	190
					315	215
	355	220	60	225	250	190
					315	215
					355	235
	400	230	70	235	110	150
					160	170

续表 C.0.5

管件形状图	公称外径 d_n	承口深度 $L \geqslant$	熔区长度 $L_1 \geqslant$	插口长度 $L_2 \geqslant$	丁端公称直径 d_{n1}	丁端插口长度 $L_3 \geqslant$
胶圈电熔双密封单承双插三通	400	230	70	235	200	185
					225	185
					250	190
					315	215
					355	235
					400	245
	450	240	80	240	315	215
					355	235
					400	245
					450	255
	500	250	90	250	315	215
					355	235
					400	245
					450	255
					500	265
	560	260	100	260	315	215
					355	235
					400	245
					450	255
					500	265
					560	275
	630	270	100	270	315	215
					355	235
					400	245

续表 C.0.5

管件形状图	公称外径 d_n	承口深度 $L\geqslant$	熔区长度 $L_1\geqslant$	插口长度 $L_2\geqslant$	丁端公称直径 d_{n1}	丁端插口长度 L_3
胶圈电熔双密封单承双插三通	630	270	100	270	450	255
					500	265
					560	275
					630	285
	710	310	120	310	500	265
					560	275
					630	285
					710	325
	800	320	120	320	630	285
					710	325
					800	335

C.0.6 胶圈电熔双密封双承尾插三通规格尺寸应符合表 C.0.6 的规定。

表 C.0.6 胶圈电熔双密封双承尾插三通规格尺寸（mm）

管件图形	公称外径 d_n	承口深度 $L\geqslant$	熔区长度 $L_1\geqslant$	插口长度 $L_2\geqslant$	丁端公称直径 d_{n1}	丁端承口深度 $L_3\geqslant$	丁端熔区长度 $L_4\geqslant$
胶圈电熔双密封双承尾插三通	75	120	30	125	75	120	30
	90	130	30	135	75	120	30
					90	130	30
	110	135	35	140	75	120	30
					90	130	30
					110	135	35
	140	145	35	150	75	120	30
					90	130	30
					110	135	35

续表 C.0.6

管件图形	公称外径 d_n	承口深度 $L \geq$	熔区长度 $L_1 \geq$	插口长度 $L_2 \geq$	丁端公称直径 d_{n1}	丁端承口深度 $L_3 \geq$	丁端熔区长度 $L_4 \geq$
胶圈电熔双密封双承尾插三通	140	145	35	150	140	145	35
	160	152	40	160	75	120	30
					90	130	30
					110	135	35
					140	145	35
					160	152	40
	200	170	40	180	75	120	30
					90	130	30
					110	135	35
					140	145	35
					160	152	40
					200	170	40
	225	175	40	185	160	152	40
					200	170	40
					225	175	40
	250	180	45	190	90	130	30
					110	135	35
					140	145	35
					160	152	40
					200	170	40
					225	175	40
					250	180	45
	315	200	50	210	110	135	35
					160	152	40

续表 C.0.6

管件图形	公称外径 d_n	承口深度 $L \geqslant$	熔区长度 $L_1 \geqslant$	插口长度 $L_2 \geqslant$	丁端公称直径 d_{n1}	丁端承口深度 $L_3 \geqslant$	丁端熔区长度 $L_4 \geqslant$
胶圈电熔双密封双承尾插三通	315	200	50	210	200	170	40
					225	175	40
					250	180	45
					315	200	50
	355	220	60	225	250	180	45
					315	200	50
					355	220	60
	400	230	70	235	110	135	35
					160	152	40
					200	170	40
					225	175	40
					250	180	45
					315	200	50
					355	220	60
					400	230	70
	450	240	80	240	315	200	50
					355	220	60
					400	230	70
					450	240	80
	500	250	90	250	315	200	50
					355	220	60
					400	230	70
					450	240	80
					500	250	90

续表 C.0.6

管件图形	公称外径 d_n	承口深度 $L\geq$	熔区长度 $L_1\geq$	插口长度 $L_2\geq$	丁端公称直径 d_{n1}	丁端承口深度 $L_3\geq$	丁端熔区长度 $L_4\geq$
胶圈电熔双密封双承尾插三通	560	260	100	260	315	200	50
					355	220	60
					400	230	70
					450	240	80
					500	250	90
					560	260	100
	630	270	100	270	315	200	50
					355	220	60
					400	230	70
					450	240	80
					500	250	90
					560	260	100
					630	270	100
	710	310	120	310	500	250	90
					560	260	100
					630	270	100
					710	310	120
	800	320	120	320	630	270	100
					710	310	120
					800	320	120

C.0.7 胶圈电熔双密封双承丁插三通规格尺寸应符合表 C.0.7 的规定。

表 C.0.7 胶圈电熔双密封双承丁插三通规格尺寸（mm）

管件示意图	公称外径 d_n	承口深度 $L \geqslant$	熔区长度 $L_1 \geqslant$	丁端公称直径 d_{n1}	丁端插口长度 $L_2 \geqslant$
胶圈电熔双密封双承丁插三通	75	120	30	50	80
				63	90
				75	125
	90	130	30	50	80
				63	90
				75	125
				90	135
	110	135	35	50	80
				63	90
				75	125
				90	135
				110	150
	140	145	35	75	125
				90	135
				110	150
				140	160
	160	152	40	75	125
				90	135
				110	150
				140	160
				160	170
	200	170	40	75	125
				90	135
				110	150
				140	160
				160	170
				200	185

续表 C.0.7

管件示意图	公称外径 d_n	承口深度 $L\geqslant$	熔区长度 $L_1\geqslant$	丁端公称直径 d_{n1}	丁端插口长度 $L_2\geqslant$
胶圈电熔双密封双承丁插三通	225	175	40	160	170
				200	185
				225	185
	250	180	45	90	135
				110	150
				140	160
				160	170
				200	185
				225	185
				250	190
	315	200	50	110	150
				160	170
				200	185
				225	185
				250	190
				315	215
	355	220	60	250	190
				315	215
				355	235
	400	230	70	110	150
				160	170
				200	185
				225	185
				250	190
				315	215
				355	235
				400	245

续表 C.0.7

管件示意图	公称外径 d_n	承口深度 $L \geqslant$	熔区长度 $L_1 \geqslant$	丁端公称直径 d_{n1}	丁端插口长度 $L_2 \geqslant$
胶圈电熔双密封双承丁插三通	450	240	80	315	215
				355	235
				400	245
				450	255
	500	250	90	315	215
				355	235
				400	245
				450	255
				500	265
	560	260	100	315	215
				355	235
				400	245
				450	255
				500	265
				560	275
	630	270	100	315	215
				355	235
				400	245
				450	255
				500	265
				560	275
				630	285
	710	310	120	500	265
				560	275
				630	285
				710	325
	800	320	120	630	285
				710	325
				800	335

C.0.8 胶圈电熔双密封单承单插异径直接管件规格尺寸应符合表 C.0.8 的规定。

表 C.0.8 胶圈电熔双密封单承单插异径直接管件规格尺寸（mm）

管件示意图	公称外径 d_n	承口深度 L≥	熔区长度 L_1≥	异径公称直径 d_{n1}	异径插口长度 L_2≥
胶圈电熔双密封单承单插异径直接	75	120	30	50	65
				63	65
	90	130	30	50	65
				63	65
				75	125
	110	135	35	50	65
				63	65
				75	130
				90	135
	140	145	35	75	125
				90	135
				110	140
	160	152	40	75	125
				90	135
				110	140
				140	150
	200	170	40	75	125
				90	135
				110	140
				140	150
				160	160
	225	175	40	90	135
				110	140
				140	150
				160	160
				200	180

续表 C.0.8

管件示意图	公称外径 d_n	承口深度 L≥	熔区长度 L_1≥	异径公称直径 d_{n1}	异径插口长度 L_2≥
胶圈电熔双密封单承单插异径直接	250	180	45	90	135
				110	140
				140	150
				160	160
				200	180
				225	185
	315	200	50	110	140
				140	150
				160	160
				200	180
				225	185
				250	190
	355	220	60	250	190
				315	210
	400	230	70	200	180
				250	190
				315	200
				355	225
	450	240	80	315	200
				355	225
				400	230

续表 C.0.8

管件示意图	公称外径 d_n	承口深度 L≥	熔区长度 L_1≥	异径公称直径 d_{n1}	异径插口长度 L_2≥
胶圈电熔双密封单承单插异径直接	500	250	90	315	200
				355	225
				400	230
				450	240
	560	260	100	315	200
				355	225
				400	230
				450	240
				500	250
	630	270	100	315	200
				355	225
				400	230
				450	240
				500	250
				560	260
	710	310	120	500	250
				560	260
				630	270
	800	320	120	630	270
				710	310

C.0.9 电熔法兰接头规格尺寸应符合表 C.0.9 的规定。

表 C.0.9 电熔法兰接头规格尺寸（mm）

管件示意图	公称直径 d_n	插入深度 $L \geqslant$	熔区长度 $L_1 \geqslant$
电熔法兰接头	75	95	30
	90	95	30
	110	95	35
	140	100	35
	160	110	40
	200	120	40
	225	120	40
	250	125	45
	315	135	50
	355	150	60
	400	160	70
	450	165	80
	500	170	90
	560	190	100
	630	210	100
	710	230	120
	800	260	120

C.0.10 钢法兰片规格尺寸应符合表 C.0.10 的规定。

表 C.0.10 钢法兰片规格尺寸 (mm)

管件示意图	公称直径 d_n	法兰内径 D	螺栓孔中心圆直径 A
钢法兰片	75	96	145
	90	112	160
	110	145	180
	140	175	210
	160	198	240
	200	240	295
	225	265	295
	250	290	350
	315	355	400
	355	405	460
	400	450	515
	450	505	565
	500	560	620
	560	620	725
	630	685	725
	710	780	840
	800	870	950

C.0.11 胶圈电熔双密封等径直接管件规格尺寸应符合表 C.0.11 的规定。

表 C.0.11 胶圈电熔双密封等径直接管件规格尺寸（mm）

管件示意图	公称直径 d_n	承口深度 $L \geqslant$	熔区长度 $L_1 \geqslant$
胶圈电熔双密封等径直接	75	120	30
	90	130	30
	110	135	35
	140	145	35
	160	152	40
	200	170	40
	225	175	40
	250	180	45
	315	200	50
	355	220	60
	400	230	70
	450	240	80
	500	250	90
	560	260	100
	630	270	100
	710	310	120
	800	320	120

C.0.12 承盘胶圈双密封法兰短管规格尺寸应符合表C.0.12的规定。

表C.0.12 承盘胶圈双密封法兰短管规格尺寸（mm）

管件示意图	公称直径 d_n	承口内径 D	插入深入 $L_1 \geqslant$
承盘胶圈双密封法兰短管	75	76	40
	90	91	50
	110	111	50
	140	142	55
	160	162	60
	200	202	60
	225	227	65
	250	252	65
	315	317	70
	355	357	70
	400	403	80
	450	453	80
	500	203	90
	560	563	90
	630	633	100
	710	714	120
	800	804	120

附录 D 胶圈电熔双密封聚乙烯复合供水管道水力计算内径

表 D 胶圈电熔双密封聚乙烯复合供水管道水力计算内径 d_j

公称外径 d_n(mm)		公称压力（MPa）							
		0.6	0.8	1.0	1.4	1.6	2.0	2.5	3.5
外径尺寸	极限偏差	水力计算管材内径 d_j(mm)							
50	+1.2	—	—	—	—	40.0	39.0	37.0	37.0
63	+1.2	—	—	—	—	48.4	51.0	50.0	50.0
75	+1.2	—	—	66.0	—	65.0	63.0	62.0	61.0
90	+1.4	—	—	79.2	—	79.0	78.0	76.0	76.0
110	+1.5	101.6	99.4	99.0	98.0	96.0	96.0	93.0	90.0
140	+1.7	129.2	126.6	129.0	126.0	124.0	123.0	120.0	118.0
160	+2.0	147.6	144.6	147.0	144.0	142.0	141.0	138.0	135.0
200	+2.3	184.6	180.8	186.0	183.0	181.0	179.0	174.0	169.0
225	+2.5	207.6	203.6	209.0	207.0	205.0	199.0	193.0	—
250	+2.5	230.8	226.2	229.0	239.0	226.0	222.0	214.0	—
315	+2.7	290.8	285.0	292.0	291.0	289.0	284.0	271.0	—
355	+2.8	327.6	321.2	331.0	329.0	327.0	317.0	307.0	—
400	+3.0	369.4	361.8	375.0	372.0	370.0	356.0	—	—
450	+3.3	415.6	407.0	423.0	414.0	410.0	396.0	—	—
500	+3.2	461.8	452.2	469.0	460.0	456.0	442.0	—	—
560	+3.2	517.2	506.6	520.0	506.6	500.0	—	—	—
630	+3.2	581.8	570.0	584.0	570.0	564.0	—	—	—
710	+3.5	655.6	642.2	656.0	639.0	632.0	—	—	—
800	+3.5	738.8	723.8	740.0	722.0	714.0	—	—	—

附录 E 单位管长沿程阻力损失水力计算表

E.0.1 公称外径 d_n50 胶圈电熔双密封聚乙烯复合供水管道单位管长沿程阻力损失可按表 E.0.1 确定。

表 E.0.1 公称外径 d_n50 胶圈电熔双密封聚乙烯复合供水管道单位管长沿程阻力损失水力计算

Q		P_N/d_j							
		1.6MPa/40.0mm		2.0MPa/39.0mm		2.5MPa/37.0mm		3.5MPa/37.0mm	
m³/h	L/s	v	i	v	i	v	i	v	i
1.44	0.4	0.32	0.0041	0.34	0.0046	0.37	0.0059	0.37	0.0059
1.80	0.5	0.40	0.0060	0.42	0.0068	0.47	0.0087	0.47	0.0087
2.16	0.6	0.48	0.0083	0.50	0.0093	0.56	0.0120	0.56	0.0120
2.52	0.7	0.56	0.0108	0.59	0.0123	0.65	0.0158	0.65	0.0158
2.88	0.8	0.64	0.0138	0.67	0.0155	0.74	0.0200	0.74	0.0200
3.24	0.9	0.72	0.0169	0.75	0.0192	0.84	0.0246	0.84	0.0246
3.60	1.0	0.80	0.0204	0.84	0.0231	0.93	0.0297	0.93	0.0297
3.96	1.1	0.88	0.0242	0.92	0.0273	1.02	0.0352	1.02	0.0352
4.32	1.2	0.96	0.0283	1.01	0.0319	1.12	0.0411	1.12	0.0411
4.68	1.3	1.04	0.0326	1.09	0.0369	1.21	0.0474	1.21	0.0474

续表 E.0.1

Q		P_N/d_j							
		1.6MPa/40.0mm		2.0MPa/39.0mm		2.5MPa/37.0mm		3.5MPa/37.0mm	
m³/h	L/s	v	i	v	i	v	i	v	i
5.04	1.4	1.11	0.0372	1.17	0.0420	1.30	0.0542	1.30	0.0542
5.40	1.5	1.19	0.0422	1.26	0.0476	1.40	0.0615	1.40	0.0615
5.76	1.6	1.27	0.0474	1.34	0.0535	1.49	0.0690	1.49	0.0690
6.12	1.7	1.35	0.0528	1.42	0.0596	1.58	0.0769	1.58	0.0769
6.48	1.8	1.43	0.0584	1.51	0.0659	1.67	0.0854	1.67	0.0854
6.84	1.9	1.51	0.0644	1.59	0.0728	1.77	0.0939	1.77	0.0939
7.20	2.0	1.59	0.0708	1.68	0.0799	1.86	0.1031	1.86	0.1031
7.56	2.1	1.67	0.0773	1.76	0.0873	1.95	0.1126	1.95	0.1126
7.92	2.2	1.75	0.0841	1.84	0.0950	—	—	—	—
8.28	2.3	1.83	0.0910	1.93	0.1028	—	—	—	—
8.64	2.4	1.91	0.0982	2.01	0.1114	—	—	—	—
9.00	2.5	1.99	0.1060	—	—	—	—	—	—

注:1 Q—管道设计流量,单位为 m³/h,L/s;v—流速,单位为 m/s;i—单位管长沿程阻力,单位为 mm/m 水柱压力;P_N—管道出厂标示的公称压力,单位为 MPa;d_n—公称外径,单位为 mm;d_j—管道计算内径,单位为 mm;

2 管内流速计算范围为:
公称外径小于 d_n160 的管道,为 0.3~2.0m/s;公称外径为 d_n160~d_n250 的管道,为 0.4~2.5m/s;公称外径大于 d_n250 的管道,为 0.4~3.0m/s;

3 管道内水温按 10℃考虑。

E.0.2 公称外径d_n63胶圈电熔双密封聚乙烯复合供水管道单位管长沿程阻力损失可按表E.0.2确定。

表 E.0.2 公称外径d_n63胶圈电熔双密封聚乙烯复合供水管道单位管长沿程阻力损失水力计算

Q		P_N/d_j							
		1.6MPa/48.4mm		2.0MPa/51.0mm		2.5MPa/50.0mm		3.5MPa/50.0mm	
m³/h	L/s	v	i	v	i	v	i	v	i
2.16	0.6	0.33	0.0033	0.29	0.0026	0.31	0.0029	0.31	0.0029
2.88	0.8	0.44	0.0055	0.39	0.0043	0.41	0.0047	0.41	0.0047
3.60	1.0	0.54	0.0082	0.49	0.0064	0.51	0.0070	0.51	0.0070
4.32	1.2	0.65	0.0113	0.59	0.0088	0.61	0.0097	0.61	0.0097
5.04	1.4	0.76	0.0149	0.69	0.0116	0.71	0.0127	0.71	0.0127
5.76	1.6	0.87	0.0189	0.78	0.0147	0.82	0.0161	0.82	0.0161
6.48	1.8	0.98	0.0233	0.88	0.0181	0.92	0.0199	0.92	0.0199
7.20	2.0	1.09	0.0282	0.98	0.0219	1.02	0.0240	1.02	0.0240
7.92	2.2	1.20	0.0335	1.08	0.0260	1.12	0.0286	1.12	0.0286

续表 E.0.2

Q		P_N/d_j							
		1.6MPa/48.4mm		2.0MPa/51.0mm		2.5MPa/50.0mm		3.5MPa/50.0mm	
m³/h	L/s	v	i	v	i	v	i	v	i
8.64	2.4	1.31	0.0391	1.18	0.0304	1.22	0.0334	1.22	0.0334
9.36	2.6	1.41	0.0451	1.27	0.0350	1.32	0.0385	1.32	0.0385
10.08	2.8	1.52	0.0515	1.37	0.0400	1.43	0.0440	1.43	0.0440
10.80	3.0	1.63	0.0583	1.47	0.0453	1.53	0.0498	1.53	0.0498
11.52	3.2	1.74	0.0657	1.57	0.0511	1.63	0.0561	1.63	0.0561
12.24	3.4	1.85	0.0734	1.67	0.0568	1.73	0.0627	1.73	0.0627
12.96	3.6	1.96	0.0811	1.76	0.0631	1.83	0.0693	1.83	0.0693
13.68	3.8	—	—	1.86	0.0696	1.94	0.0764	1.94	0.0764
14.40	4.0	—	—	1.96	0.0763	—	—	—	—

E.0.3 公称外径 d_n75 胶圈电熔双密封聚乙烯复合供水管道单位管长沿程阻力损失可按表 E.0.3 确定。

表 E.0.3 公称外径 d_n75 胶圈电熔双密封聚乙烯复合供水管道单位管长沿程阻力损失水力计算

Q		P_N/d_j									
		1.0MPa/66mm		1.6MPa/65mm		2.0MPa/63.0mm		2.5MPa/62.0mm		3.5MPa/61.0mm	
m³/h	L/s	v	i	v	i	v	i	v	i	v	i
3.60	1.0	0.29	0.0019	0.30	0.0020	0.32	0.0023	0.33	0.0025	0.34	0.0027
4.32	1.2	0.35	0.0026	0.36	0.0028	0.39	0.0032	0.40	0.0035	0.41	0.0037
5.04	1.4	0.41	0.0034	0.42	0.0036	0.45	0.0042	0.46	0.0045	0.48	0.0049
5.76	1.6	0.47	0.0043	0.48	0.0046	0.51	0.0053	0.53	0.0058	0.55	0.0062
6.48	1.8	0.53	0.0053	0.54	0.0057	0.58	0.0066	0.60	0.0071	0.62	0.0077
7.20	2.0	0.58	0.0063	0.60	0.0068	0.64	0.0079	0.66	0.0086	0.68	0.0092
7.92	2.2	0.64	0.0075	0.66	0.0081	0.71	0.0094	0.73	0.0101	0.75	0.0109
8.64	2.4	0.70	0.0087	0.72	0.0094	0.77	0.0109	0.80	0.0119	0.82	0.0128
9.36	2.6	0.76	0.0101	0.78	0.0109	0.83	0.0126	0.86	0.0137	0.89	0.0148
10.08	2.8	0.82	0.0115	0.84	0.0124	0.90	0.0144	0.93	0.0156	0.96	0.0169
10.80	3.0	0.88	0.0131	0.90	0.0141	0.96	0.0164	0.99	0.0176	1.03	0.0191
11.52	3.2	0.94	0.0147	0.96	0.0158	1.03	0.0183	1.06	0.0198	1.10	0.0215
12.24	3.4	0.99	0.0163	1.03	0.0176	1.09	0.0204	1.13	0.0221	1.16	0.0239
12.96	3.6	1.05	0.0181	1.09	0.0195	1.16	0.0227	1.19	0.0245	1.23	0.0265
13.68	3.8	1.11	0.0199	1.15	0.0215	1.22	0.0250	1.26	0.0270	1.30	0.0293
14.40	4.0	1.17	0.0219	1.21	0.0236	1.28	0.0275	1.33	0.0296	1.37	0.0321

续表 E.0.3

Q		P_N/d_j									
		1.0MPa/66mm		1.6MPa/65mm		2.0MPa/63.0mm		2.5MPa/62.0mm		3.5MPa/61.0mm	
m³/h	L/s	v	i	v	i	v	i	v	i	v	i
15.12	4.2	1.23	0.0239	1.27	0.0258	1.35	0.0300	1.39	0.0323	1.44	0.0351
15.84	4.4	1.29	0.0260	1.33	0.0280	1.41	0.0326	1.46	0.0351	1.51	0.0381
16.56	4.6	1.35	0.0282	1.39	0.0303	1.48	0.0353	1.52	0.0382	1.57	0.0412
17.28	4.8	1.40	0.0304	1.45	0.0328	1.54	0.0382	1.59	0.0412	1.64	0.0447
18.00	5.0	1.46	0.0327	1.51	0.0353	1.60	0.0410	1.66	0.0445	1.71	0.0480
18.72	5.2	1.52	0.0352	1.57	0.0380	1.67	0.0442	1.72	0.0476	1.78	0.0516
19.44	5.4	1.58	0.0377	1.63	0.0405	1.73	0.0471	1.79	0.0511	1.85	0.0551
20.16	5.6	1.64	0.0402	1.69	0.0434	1.80	0.0504	1.86	0.0546	1.92	0.0590
20.88	5.8	1.70	0.0429	1.75	0.0463	1.86	0.0538	1.92	0.0580	1.99	0.0629
21.60	6.0	1.75	0.0457	1.81	0.0490	1.93	0.0573	1.99	0.0618	—	—
22.32	6.2	1.81	0.0485	1.87	0.0521	1.99	0.0605	—	—	—	—
23.04	6.4	1.87	0.0514	1.93	0.0552	—	—	—	—	—	—
23.76	6.6	1.93	0.0544	1.99	0.0584	—	—	—	—	—	—
24.48	6.8	1.99	0.0574	—	—	—	—	—	—	—	—

E.0.4 公称外径 $d_n 90$ 胶圈电熔双密封聚乙烯复合供水管道单位管长沿程阻力损失可按表 E.0.4 确定。

表 E.0.4 公称外径 $d_n 90$ 胶圈电熔双密封聚乙烯复合供水管道单位管长沿程阻力损失水力计算

Q		P_N/d_j								
		1.0MPa/79.2mm		1.6MPa/79mm		2.0MPa/78.0mm		2.5MPa/76.0mm		3.5MPa/76.0mm	
m³/h	L/s	v	i	v	i	v	i	v	i	v	i
5.40	1.5	0.30	0.0016	0.31	0.0016	0.31	0.0017	0.33	0.0019	0.33	0.0019
7.20	2.0	0.41	0.0026	0.41	0.0027	0.42	0.0028	0.44	0.0032	0.44	0.0032
9.00	2.5	0.51	0.0039	0.51	0.0040	0.52	0.0042	0.55	0.0048	0.55	0.0048
10.80	3.0	0.61	0.0054	0.61	0.0055	0.63	0.0059	0.66	0.0066	0.66	0.0066
12.60	3.5	0.71	0.0072	0.71	0.0072	0.73	0.0077	0.77	0.0088	0.77	0.0088
14.40	4.0	0.81	0.0091	0.82	0.0092	0.84	0.0098	0.88	0.0111	0.88	0.0111
16.20	4.5	0.91	0.0112	0.92	0.0114	0.94	0.0121	0.99	0.0137	0.99	0.0137
18.00	5.0	1.02	0.0136	1.02	0.0138	1.05	0.0146	1.10	0.0166	1.10	0.0166

续表 E.0.4

Q		P_N/d_j										
		1.0MPa/79.2mm		1.6MPa/79mm		2.0MPa/78.0mm		2.5MPa/76.0mm		3.5MPa/76.0mm	
m³/h	L/s	v	i	v	i	v	i	v	i	v	i
19.80	5.5	1.12	0.0161	1.12	0.0163	1.15	0.0173	1.21	0.0196	1.21	0.0196
21.60	6.0	1.22	0.0188	1.22	0.0191	1.26	0.0203	1.32	0.0230	1.32	0.0230
23.40	6.5	1.32	0.0218	1.33	0.0220	1.36	0.0235	1.43	0.0266	1.43	0.0266
25.20	7.0	1.42	0.0250	1.43	0.0253	1.47	0.0268	1.54	0.0304	1.54	0.0304
27.00	7.5	1.52	0.0282	1.53	0.0286	1.57	0.0305	1.65	0.0345	1.65	0.0345
28.80	8.0	1.62	0.0318	1.63	0.0322	1.68	0.0343	1.76	0.0388	1.76	0.0388
30.60	8.5	1.73	0.0355	1.73	0.0359	1.78	0.0383	1.87	0.0434	1.87	0.0434
32.40	9.0	1.83	0.0393	1.84	0.0398	1.88	0.0425	1.98	0.0481	1.98	0.0481
34.20	9.5	1.93	0.0434	1.94	0.0439	1.99	0.0468	—	—	—	—

E.0.5 公称外径 d_n110 胶圈电熔双密封聚乙烯复合供水管道单位管长沿程阻力损失可按表 E.0.5 确定。

表 E.0.5 公称外径 d_n110 胶圈电熔双密封聚乙烯复合密封水管道单位管长沿程阻力损失水力计算

Q		\multicolumn{16}{c}{P_N/d_j}
		0.6MPa/101.6mm		0.8MPa/99.4mm		1.0MPa/99.0mm		1.4MPa/98.0mm		1.6MPa/96.0mm		2.0MPa/96.0mm		2.5MPa/93.0mm		3.5MPa/90.0mm	
m³/h	L/s	v	i	v	i	v	i	v	i	v	i	v	i	v	i	v	i
7.20	2.0	—	—	—	—	—	—	—	—	—	—	—	—	—	—	0.31	0.0014
9.00	2.5	0.31	0.0012	0.32	0.0013	0.32	0.0013	0.33	0.0014	0.35	0.0016	0.35	0.0016	0.29	0.0012	0.39	0.0021
10.80	3.0	0.37	0.0016	0.39	0.0019	0.39	0.0019	0.40	0.0020	0.41	0.0021	0.41	0.0021	0.37	0.0018	0.47	0.0029
12.60	3.5	0.43	0.0022	0.45	0.0024	0.45	0.0024	0.46	0.0025	0.48	0.0028	0.48	0.0028	0.44	0.0025	0.55	0.0039
14.40	4.0	0.49	0.0027	0.52	0.0031	0.52	0.0031	0.53	0.0033	0.55	0.0036	0.55	0.0036	0.52	0.0034	0.63	0.0049
16.20	4.5	0.56	0.0034	0.58	0.0038	0.58	0.0038	0.6	0.0041	0.62	0.0044	0.62	0.0044	0.59	0.0042	0.71	0.0061
18.00	5.0	0.62	0.0041	0.64	0.0045	0.65	0.0046	0.66	0.0048	0.69	0.0054	0.69	0.0054	0.66	0.0051	0.79	0.0074
19.80	5.5	0.68	0.0049	0.71	0.0054	0.71	0.0054	0.73	0.0058	0.76	0.0064	0.76	0.0064	0.74	0.0063	0.86	0.0086
21.60	6.0	0.74	0.0057	0.77	0.0063	0.78	0.0064	0.8	0.0068	0.83	0.0075	0.83	0.0075	0.81	0.0074	0.94	0.0101
23.40	6.5	0.80	0.0065	0.84	0.0073	0.84	0.0073	0.86	0.0078	0.9	0.0086	0.9	0.0086	0.88	0.0086	1.02	0.0117
25.20	7.0	0.86	0.0074	0.9	0.0083	0.91	0.0085	0.93	0.0090	0.97	0.0099	0.97	0.0099	0.96	0.0101	1.1	0.0134
27.00	7.5	0.93	0.0085	0.97	0.0095	0.97	0.0095	0.99	0.0100	1.04	0.0112	1.04	0.0112	1.03	0.0115	1.18	0.0152
28.80	8.0	0.99	0.0096	1.03	0.0106	1.04	0.0108	1.06	0.0113	1.11	0.0126	1.11	0.0126	1.1	0.0129	1.26	0.0172
30.60	8.5	1.05	0.0106	1.1	0.0119	1.1	0.0120	1.13	0.0127	1.17	0.0139	1.17	0.0139	1.18	0.0147	1.34	0.0192
32.40	9.0	1.11	0.0117	1.16	0.0131	1.17	0.0134	1.19	0.0139	1.24	0.0154	1.24	0.0154	1.25	0.0163	1.42	0.0214
34.20	9.5	1.17	0.0129	1.22	0.0143	1.23	0.0146	1.26	0.0154	1.31	0.0170	1.31	0.0170	1.33	0.0182	1.49	0.0233
36.00	10.0	1.23	0.0142	1.29	0.0159	1.3	0.0162	1.33	0.0170	1.38	0.0187	1.38	0.0187	1.4	0.0200	1.57	0.0255

续表 E.0.5

Q		P_N/d_j														
		0.6MPa/101.6mm		0.8MPa/99.4mm		1.0MPa/99.0mm		1.4MPa/98.0mm		1.6MPa/96.0mm		2.0MPa/96.0mm		2.5MPa/93.0mm		3.5MPa/90.0mm	
m³/h	L/s	v	i	v	i	v	i	v	i	v	i	v	i	v	i	v	i
37.80	10.5	1.30	0.0157	1.35	0.0172	1.36	0.0175	1.39	0.0185	1.45	0.0204	1.45	0.0204	1.55	0.0240	1.65	0.0279
39.60	11.0	1.36	0.0170	1.42	0.0189	1.43	0.0193	1.46	0.0202	1.52	0.0223	1.52	0.0223	1.62	0.0260	1.73	0.0305
41.40	11.5	1.42	0.0184	1.48	0.0203	1.49	0.0207	1.53	0.0220	1.59	0.0242	1.59	0.0242	1.69	0.0280	1.81	0.0332
43.20	12.0	1.48	0.0198	1.55	0.0222	1.56	0.0226	1.59	0.0235	1.66	0.0262	1.66	0.0262	1.77	0.0306	1.89	0.0358
45.00	12.5	1.54	0.0213	1.61	0.0237	1.62	0.0241	1.66	0.0255	1.73	0.0283	1.73	0.0283	1.84	0.0328	1.97	0.0387
46.80	13.0	1.60	0.0229	1.68	0.0256	1.69	0.0260	1.72	0.0272	1.8	0.0303	1.8	0.0303	1.91	0.0352	—	—
48.60	13.5	1.67	0.0248	1.74	0.0273	1.75	0.0277	1.79	0.0293	1.87	0.0325	1.87	0.0325	1.99	0.0378	—	—
50.40	14.0	1.73	0.0263	1.81	0.0294	1.82	0.0298	1.86	0.0315	1.94	0.0348	1.94	0.0348	—	—	—	—
52.20	14.5	1.79	0.0280	1.87	0.0312	1.88	0.0317	1.92	0.0332	2.00	0.0367	2.00	0.0367	—	—	—	—
54.00	15.0	1.85	0.0297	1.93	0.0330	1.95	0.0339	1.99	0.0354	—	—	—	—	—	—	—	—
55.80	15.5	1.91	0.0315	2.00	0.0353	2.01	0.0358	—	—	—	—	—	—	—	—	—	—
57.60	16.0	1.97	0.0333	—	—	—	—	—	—	—	—	—	—	—	—	—	—

E.0.6 公称外径 d_n140 胶圈电熔双密封聚乙烯复合供水管道单位管长沿程阻力损失可按表 E.0.6 确定。

表 E.0.6 公称外径 d_n140 胶圈电熔双密封聚乙烯复合供水管道单位管长沿程阻力损失水力计算

Q		P_N/d_j												
		0.6MPa/129.2mm		0.8MPa/126.6mm		1.0MPa/129.0mm		1.4MPa/126.0mm		1.6MPa/124.0mm		2.0MPa/123.0mm		2.5MPa/120.0mm		3.5MPa/118.0mm	
m³/h	L/s	v	i	v	i	v	i	v	i	v	i	v	i	v	i	v	i
14.40	4	0.31	0.0009	0.32	0.0010	0.31	0.0009	0.32	0.0010	0.33	0.0011	0.34	0.0011	0.35	0.0012	0.37	0.0013
18.00	5	0.38	0.0013	0.40	0.0014	0.38	0.0013	0.40	0.0015	0.41	0.0016	0.42	0.0016	0.44	0.0018	0.46	0.0020
21.60	6	0.46	0.0018	0.48	0.0020	0.46	0.0018	0.48	0.0020	0.50	0.0022	0.51	0.0023	0.53	0.0025	0.55	0.0028
25.20	7	0.53	0.0024	0.56	0.0026	0.54	0.0024	0.56	0.0027	0.58	0.0029	0.59	0.0030	0.62	0.0034	0.64	0.0036
28.80	8	0.61	0.0030	0.64	0.0033	0.61	0.0030	0.64	0.0034	0.66	0.0036	0.67	0.0038	0.71	0.0043	0.73	0.0046
32.40	9	0.69	0.0037	0.72	0.0041	0.69	0.0037	0.72	0.0042	0.75	0.0045	0.76	0.0047	0.80	0.0053	0.82	0.0057
36.00	10	0.76	0.0045	0.79	0.0049	0.77	0.0045	0.80	0.0051	0.83	0.0054	0.84	0.0057	0.88	0.0064	0.91	0.0069
39.60	11	0.84	0.0053	0.87	0.0058	0.84	0.0054	0.88	0.0060	0.91	0.0065	0.93	0.0067	0.97	0.0076	1.01	0.0082
43.20	12	0.92	0.0062	0.95	0.0068	0.92	0.0063	0.96	0.0070	0.99	0.0076	1.01	0.0079	1.06	0.0089	1.10	0.0096
46.80	13	0.99	0.0072	1.03	0.0079	1.00	0.0072	1.04	0.0081	1.08	0.0087	1.09	0.0091	1.15	0.0102	1.19	0.0111
50.40	14	1.07	0.0082	1.11	0.0091	1.07	0.0083	1.12	0.0092	1.16	0.0100	1.18	0.0104	1.24	0.0117	1.28	0.0127
54.00	15	1.14	0.0093	1.19	0.0102	1.15	0.0094	1.20	0.0105	1.24	0.0114	1.26	0.0118	1.33	0.0133	1.37	0.0144

续表 E.0.6

Q		P_N/d_j													
		0.6MPa/129.2mm		0.8MPa/126.6mm		1.0MPa/129.0mm		1.4MPa/126.0mm		1.6MPa/124.0mm		2.0MPa/123.0mm		2.5MPa/120.0mm		3.5MPa/118.0mm	
m³/h	L/s	v	i	v	i	v	i	v	i	v	i	v	i	v	i	v	i
57.60	16	1.22	0.0105	1.27	0.0115	1.22	0.0106	1.28	0.0118	1.33	0.0127	1.35	0.0132	1.42	0.0150	1.46	0.0162
61.20	17	1.30	0.0117	1.35	0.0129	1.30	0.0118	1.36	0.0132	1.41	0.0143	1.43	0.0148	1.50	0.0167	1.56	0.0181
64.80	18	1.37	0.0130	1.43	0.0143	1.38	0.0131	1.44	0.0146	1.49	0.0158	1.52	0.0165	1.59	0.0185	1.65	0.0200
68.40	19	1.45	0.0143	1.51	0.0158	1.45	0.0144	1.52	0.0161	1.57	0.0174	1.60	0.0181	1.68	0.0204	1.74	0.0222
72.00	20	1.53	0.0157	1.59	0.0173	1.53	0.0158	1.60	0.0177	1.66	0.0192	1.68	0.0199	1.77	0.0225	1.83	0.0243
75.60	21	1.60	0.0171	1.67	0.0190	1.61	0.0173	1.69	0.0193	1.74	0.0209	1.77	0.0218	1.86	0.0245	1.92	0.0266
79.20	22	1.68	0.0187	1.75	0.0206	1.68	0.0188	1.77	0.0211	1.82	0.0228	1.85	0.0237	1.95	0.0267	2.01	0.0290
82.80	23	1.76	0.0202	1.83	0.0223	1.76	0.0203	1.85	0.0229	1.91	0.0248	1.94	0.0256	—	—	—	—
86.40	24	1.83	0.0218	1.91	0.0242	1.84	0.0220	1.93	0.0248	1.99	0.0267	—	—	—	—	—	—
90.00	25	1.91	0.0235	1.99	0.0261	1.91	0.0237	2.01	0.0267	—	—	—	—	—	—	—	—
93.60	26	1.98	0.0253	—	—	1.99	0.0255	—	—	—	—	—	—	—	—	—	—

E.0.7 公称外径 d_n160 胶圈电熔双密封聚乙烯复合供水管道单位管长沿程阻力损失可按表 E.0.7 确定。

表 E.0.7 公称外径 d_n160 胶圈电熔双密封聚乙烯复合供水管道单管长沿程阻力损失水力计算

Q		P_N/d_i												
		0.6MPa/147.6mm		0.8MPa/144.6mm		1.0MPa/147.0mm		1.4MPa/144.0mm		1.6MPa/142.0mm		2.0MPa/141.0mm		2.5MPa/138.0mm		3.5MPa/135.0mm	
m³/h	L/s	v	i	v	i	v	i	v	i	v	i	v	i	v	i	v	i
21.6	6.0	0.35	0.0009	0.37	0.0010	0.35	0.0010	0.37	0.0011	0.38	0.0011	0.38	0.0012	0.40	0.0013	0.42	0.0014
28.8	8.0	0.47	0.0016	0.49	0.0017	0.47	0.0016	0.49	0.0018	0.51	0.0019	0.51	0.0020	0.54	0.0022	0.56	0.0024
36.0	10.0	0.58	0.0023	0.61	0.0026	0.59	0.0024	0.61	0.0026	0.63	0.0028	0.64	0.0029	0.67	0.0033	0.70	0.0036
43.2	12.0	0.70	0.0033	0.73	0.0036	0.71	0.0033	0.74	0.0037	0.76	0.0039	0.77	0.0041	0.80	0.0045	0.84	0.0050
50.4	14.0	0.82	0.0043	0.85	0.0048	0.83	0.0044	0.86	0.0049	0.88	0.0052	0.90	0.0054	0.94	0.0060	0.98	0.0066
57.6	16.0	0.94	0.0055	0.97	0.0061	0.94	0.0056	0.98	0.0062	1.01	0.0066	1.03	0.0068	1.07	0.0076	1.12	0.0085
64.8	18.0	1.05	0.0068	1.10	0.0075	1.06	0.0069	1.11	0.0077	1.14	0.0082	1.15	0.0085	1.20	0.0094	1.26	0.0105
72.0	20.0	1.17	0.0082	1.22	0.0091	1.18	0.0084	1.23	0.0092	1.26	0.0099	1.28	0.0103	1.34	0.0114	1.40	0.0127
79.2	22.0	1.29	0.0098	1.34	0.0108	1.30	0.0100	1.35	0.0110	1.39	0.0118	1.41	0.0122	1.47	0.0135	1.54	0.0151
86.4	24.0	1.40	0.0114	1.46	0.0127	1.41	0.0117	1.47	0.0129	1.52	0.0138	1.54	0.0143	1.61	0.0159	1.68	0.0176
93.6	26.0	1.52	0.0132	1.58	0.0147	1.53	0.0135	1.60	0.0149	1.64	0.0160	1.67	0.0166	1.74	0.0183	1.82	0.0204
100.8	28.0	1.64	0.0152	1.71	0.0167	1.65	0.0155	1.72	0.0171	1.77	0.0183	1.79	0.0190	1.87	0.0210	1.96	0.0234
108.0	30.0	1.75	0.0172	1.83	0.0191	1.77	0.0176	1.84	0.0194	1.90	0.0208	1.92	0.0215	2.01	0.0239	2.10	0.0266
115.2	32.0	1.87	0.0193	1.95	0.0214	1.89	0.0197	1.97	0.0219	2.02	0.0233	2.05	0.0242	2.14	0.0269	2.24	0.0298
122.4	34.0	1.99	0.0217	2.07	0.0239	2.00	0.0221	2.09	0.0244	2.15	0.0262	2.18	0.0271	2.27	0.0300	2.38	0.0335
129.6	36.0	2.11	0.0240	2.19	0.0266	2.12	0.0245	2.21	0.0272	2.27	0.0290	2.31	0.0300	2.41	0.0334	—	—
136.8	38.0	2.22	0.0266	2.32	0.0293	2.24	0.0271	2.33	0.0299	2.40	0.0321	2.43	0.0332	—	—	—	—
144.0	40.0	2.34	0.0291	2.44	0.0322	2.36	0.0297	2.46	0.0329	—	—	—	—	—	—	—	—
151.2	42.0	2.46	0.0319	—	—	2.48	0.0325	—	—	—	—	—	—	—	—	—	—

E.0.8 公称外径 d_n200 胶圈电熔双密封聚乙烯复合供水管道单位管长沿程阻力损失可按表 E.0.8 确定。

表 E.0.8 公称外径 d_n200 胶圈电熔双密封聚乙烯复合供水管道单位管长沿程阻力损失水力计算

Q		P_N/d_j														
		0.6MPa/184.6mm		0.8MPa/180.8mm		1.0MPa/186.0mm		1.4MPa/183.0mm		1.6MPa/181.0mm		2.0MPa/179.0mm		2.5MPa/174.0mm		3.5MPa/169.0mm	
m³/h	L/s	v	i	v	i	v	i	v	i	v	i	v	i	v	i	v	i
36.0	10	0.37	0.0008	0.39	0.0009	0.37	0.0008	0.38	0.0008	0.39	0.0009	0.40	0.0009	0.42	0.0011	0.45	0.0012
46.8	13	0.49	0.0013	0.51	0.0014	0.48	0.0012	0.49	0.0013	0.51	0.0014	0.52	0.0015	0.55	0.0017	0.58	0.0020
57.6	16	0.60	0.0019	0.62	0.0021	0.59	0.0018	0.61	0.0019	0.62	0.0020	0.64	0.0022	0.67	0.0025	0.71	0.0029
68.4	19	0.71	0.0025	0.74	0.0028	0.70	0.0025	0.72	0.0026	0.74	0.0028	0.76	0.0030	0.80	0.0034	0.85	0.0039
79.2	22	0.82	0.0033	0.86	0.0037	0.81	0.0032	0.84	0.0035	0.86	0.0036	0.87	0.0039	0.93	0.0044	0.98	0.0051
90.0	25	0.93	0.0042	0.97	0.0046	0.92	0.0040	0.95	0.0044	0.97	0.0046	0.99	0.0048	1.05	0.0056	1.12	0.0064
100.8	28	1.05	0.0051	1.09	0.0057	1.03	0.0050	1.07	0.0053	1.09	0.0056	1.11	0.0060	1.18	0.0068	1.25	0.0079
111.6	31	1.16	0.0062	1.21	0.0068	1.14	0.0060	1.18	0.0064	1.21	0.0068	1.23	0.0072	1.30	0.0082	1.38	0.0095

续表 E.0.8

Q		P_N/d_i															
		0.6MPa/184.6mm		0.8MPa/180.8mm		1.0MPa/186.0mm		1.4MPa/183.0mm		1.6MPa/181.0mm		2.0MPa/179.0mm		2.5MPa/174.0mm		3.5MPa/169.0mm	
m³/h	L/s	v	i	v	i	v	i	v	i	v	i	v	i	v	i	v	i
122.4	34	1.27	0.0073	1.32	0.0081	1.25	0.0070	1.29	0.0076	1.32	0.0080	1.35	0.0085	1.43	0.0097	1.52	0.0112
133.2	37	1.38	0.0085	1.44	0.0094	1.36	0.0082	1.41	0.0089	1.44	0.0094	1.47	0.0099	1.56	0.0114	1.65	0.0131
144.0	40	1.50	0.0098	1.56	0.0109	1.47	0.0095	1.52	0.0103	1.56	0.0108	1.59	0.0114	1.68	0.0131	1.78	0.0151
154.8	43	1.61	0.0112	1.68	0.0124	1.58	0.0108	1.64	0.0117	1.67	0.0124	1.71	0.0131	1.81	0.0150	1.92	0.0172
165.6	46	1.72	0.0127	1.79	0.0140	1.69	0.0123	1.75	0.0132	1.79	0.0140	1.83	0.0148	1.94	0.0169	2.05	0.0196
176.4	49	1.83	0.0143	1.91	0.0157	1.80	0.0137	1.86	0.0149	1.91	0.0156	1.95	0.0165	2.06	0.0191	2.19	0.0219
187.2	52	1.94	0.0159	2.03	0.0176	1.91	0.0153	1.98	0.0166	2.02	0.0175	2.07	0.0185	2.19	0.0212	2.32	0.0245
198.0	55	2.06	0.0176	2.14	0.0196	2.03	0.0170	2.09	0.0184	2.14	0.0194	2.19	0.0204	2.31	0.0235	2.45	0.0270
208.8	58	2.17	0.0195	2.26	0.0215	2.14	0.0187	2.21	0.0202	2.26	0.0213	2.31	0.0226	2.44	0.0260	—	—
219.6	61	2.28	0.0212	2.38	0.0236	2.25	0.0206	2.32	0.0222	2.37	0.0234	2.43	0.0248	—	—	—	—
230.4	64	2.39	0.0232	2.49	0.0258	2.36	0.0224	2.43	0.0243	2.49	0.0256	—	—	—	—	—	—
241.2	67	2.50	0.0253	—	—	2.47	0.0244	—	—	—	—	—	—	—	—	—	—

E.0.9 公称外径 d_n225 胶圈电熔双密封聚乙烯复合供水管道单位管长沿程阻力损失可按表 E.0.9 确定。

表 E.0.9 公称外径 d_n225 胶圈电熔双密封聚乙烯复合供水管道单位管长沿程阻力损失水力计算

Q		P_N/d_i												
		0.6MPa/207.6mm		0.8MPa/203.6mm		1.0MPa/209.0mm		1.4MPa/207.0mm		1.6MPa/205.0mm		2.0MPa/199.0mm		2.5MPa/193.0mm	
m³/h	L/s	v	i	v	i	v	i	v	i	v	i	v	i	v	i
43.2	12	0.35	0.0006	0.37	0.0007	0.35	0.0006	0.36	0.0006	0.36	0.0007	0.39	0.0008	0.41	0.0009
54.0	15	0.44	0.0009	0.46	0.0010	0.44	0.0009	0.45	0.0010	0.45	0.0010	0.48	0.0012	0.51	0.0013
64.8	18	0.53	0.0013	0.55	0.0014	0.52	0.0013	0.54	0.0013	0.55	0.0014	0.58	0.0016	0.62	0.0019
75.6	21	0.62	0.0017	0.65	0.0019	0.61	0.0017	0.62	0.0018	0.64	0.0018	0.68	0.0021	0.72	0.0025
86.4	24	0.71	0.0022	0.74	0.0024	0.70	0.0021	0.71	0.0022	0.73	0.0023	0.77	0.0027	0.82	0.0031
97.2	27	0.80	0.0027	0.83	0.0030	0.79	0.0026	0.80	0.0028	0.82	0.0029	0.87	0.0033	0.92	0.0039
108.0	30	0.89	0.0033	0.92	0.0036	0.87	0.0032	0.89	0.0033	0.91	0.0035	0.97	0.0041	1.03	0.0047
118.8	33	0.98	0.0039	1.01	0.0043	0.96	0.0038	0.98	0.0040	1.00	0.0042	1.06	0.0048	1.13	0.0056
129.6	36	1.06	0.0046	1.11	0.0051	1.05	0.0044	1.07	0.0047	1.09	0.0049	1.16	0.0056	1.23	0.0065
140.4	39	1.15	0.0053	1.20	0.0058	1.14	0.0051	1.16	0.0054	1.18	0.0056	1.25	0.0065	1.33	0.0076
151.2	42	1.24	0.0061	1.29	0.0067	1.22	0.0059	1.25	0.0062	1.27	0.0064	1.35	0.0075	1.44	0.0087
162.0	45	1.33	0.0069	1.38	0.0076	1.31	0.0067	1.34	0.0070	1.36	0.0073	1.45	0.0085	1.54	0.0098
172.8	48	1.42	0.0078	1.48	0.0085	1.40	0.0075	1.43	0.0079	1.46	0.0083	1.54	0.0095	1.64	0.0110

续表 E.0.9

Q		P_N/d_j													
		0.6MPa/207.6mm		0.8MPa/203.6mm		1.0MPa/209.0mm		1.4MPa/207.0mm		1.6MPa/205.0mm		2.0MPa/199.0mm		2.5MPa/193.0mm	
m³/h	L/s	v	i	v	i	v	i	v	i	v	i	v	i	v	i
183.6	51	1.51	0.0086	1.57	0.0095	1.49	0.0084	1.52	0.0088	1.55	0.0092	1.64	0.0106	1.74	0.0124
194.4	54	1.60	0.0096	1.66	0.0105	1.57	0.0093	1.61	0.0098	1.64	0.0103	1.74	0.0118	1.85	0.0137
205.2	57	1.68	0.0106	1.75	0.0117	1.66	0.0103	1.69	0.0107	1.73	0.0113	1.83	0.0131	1.95	0.0152
216.0	60	1.77	0.0117	1.84	0.0129	1.75	0.0113	1.78	0.0118	1.82	0.0124	1.93	0.0143	2.05	0.0167
226.8	63	1.86	0.0128	1.94	0.0141	1.84	0.0123	1.87	0.0130	1.91	0.0136	2.03	0.0157	2.15	0.0181
237.6	66	1.95	0.0139	2.03	0.0152	1.92	0.0135	1.96	0.0141	2.00	0.0148	2.12	0.0171	2.26	0.0198
248.4	69	2.04	0.0151	2.12	0.0165	2.01	0.0146	2.05	0.0153	2.09	0.0160	2.22	0.0185	2.36	0.0215
259.2	72	2.13	0.0163	2.21	0.0179	2.10	0.0158	2.14	0.0166	2.18	0.0173	2.32	0.0201	2.46	0.0232
270.0	75	2.22	0.0176	2.30	0.0193	2.19	0.0170	2.23	0.0179	2.27	0.0188	2.41	0.0216	—	—
280.8	78	2.31	0.0189	2.40	0.0207	2.27	0.0183	2.32	0.0192	2.36	0.0202	2.51	0.0232	—	—
291.6	81	2.39	0.0203	2.49	0.0223	2.36	0.0196	2.41	0.0206	2.46	0.0216	—	—	—	—
302.4	84	2.48	0.0216	—	—	2.45	0.0209	2.50	0.0220	—	—	—	—	—	—

E.0.10 公称外径 d_n250 胶圈电熔双密封聚乙烯复合供水管道单位管长沿程阻力损失可按表 E.0.10 确定。

表 E.0.10 公称外径 d_n250 胶圈电熔双密封聚乙烯复合供水管道单位管长沿程阻力损失水力计算

Q		P_N/d_j												
		0.6MPa/230.8mm		0.8MPa/226.2mm		1.0MPa/229.0mm		1.4MPa/239.0mm		1.6MPa/226.0mm		2.0MPa/222.0mm		2.5MPa/214.0mm	
m³/h	L/s	v	i	v	i	v	i	v	i	v	i	v	i	v	i
54	15	0.36	0.0006	0.37	0.0006	0.36	0.0006	0.33	0.0005	0.37	0.0006	0.39	0.0007	0.42	0.0008
72	20	0.48	0.0010	0.50	0.0011	0.49	0.0010	0.45	0.0008	0.50	0.0011	0.52	0.0011	0.56	0.0014
90	25	0.60	0.0014	0.62	0.0016	0.61	0.0015	0.56	0.0012	0.62	0.0016	0.65	0.0017	0.70	0.0021
108	30	0.72	0.0020	0.75	0.0022	0.73	0.0021	0.67	0.0017	0.75	0.0022	0.78	0.0024	0.83	0.0029
126	35	0.84	0.0026	0.87	0.0029	0.85	0.0027	0.78	0.0022	0.87	0.0029	0.90	0.0032	0.97	0.0038
144	40	0.96	0.0033	1.00	0.0037	0.97	0.0035	0.89	0.0028	1.00	0.0037	1.03	0.0040	1.11	0.0048
162	45	1.08	0.0041	1.12	0.0046	1.09	0.0043	1.00	0.0035	1.12	0.0046	1.16	0.0050	1.25	0.0059
180	50	1.20	0.0050	1.24	0.0055	1.21	0.0052	1.12	0.0042	1.25	0.0055	1.29	0.0060	1.39	0.0072
198	55	1.32	0.0060	1.37	0.0065	1.34	0.0062	1.23	0.0050	1.37	0.0066	1.42	0.0072	1.53	0.0086

续表 E.0.10

Q		P_N/d_j													
		0.6MPa/230.8mm		0.8MPa/226.2mm		1.0MPa/229.0mm		1.4MPa/239.0mm		1.6MPa/226.0mm		2.0MPa/222.0mm		2.5MPa/214.0mm	
m³/h	L/s	v	i	v	i	v	i	v	i	v	i	v	i	v	i
216	60	1.43	0.0070	1.49	0.0077	1.46	0.0072	1.34	0.0059	1.50	0.0077	1.55	0.0084	1.67	0.0101
234	65	1.55	0.0081	1.62	0.0089	1.58	0.0084	1.45	0.0068	1.62	0.0090	1.68	0.0097	1.81	0.0117
252	70	1.67	0.0092	1.74	0.0102	1.70	0.0096	1.56	0.0078	1.75	0.0102	1.81	0.0112	1.95	0.0134
270	75	1.79	0.0105	1.87	0.0115	1.82	0.0109	1.67	0.0088	1.87	0.0116	1.94	0.0127	2.09	0.0151
288	80	1.91	0.0118	1.99	0.0131	1.94	0.0123	1.78	0.0100	2.00	0.0131	2.07	0.0142	2.23	0.0171
306	85	2.03	0.0132	2.12	0.0145	2.06	0.0138	1.90	0.0111	2.12	0.0146	2.20	0.0160	2.36	0.0190
324	90	2.15	0.0146	2.24	0.0162	2.19	0.0152	2.01	0.0124	2.24	0.0162	2.33	0.0178	2.50	0.0212
342	95	2.27	0.0162	2.37	0.0179	2.31	0.0168	2.12	0.0137	2.37	0.0180	2.46	0.0197	—	—
360	100	2.39	0.0178	2.49	0.0197	2.43	0.0185	2.23	0.0151	2.49	0.0198	—	—	—	—
378	105	—	—	—	—	—	—	2.34	0.0165	—	—	—	—	—	—
396	110	—	—	—	—	—	—	2.45	0.0180	—	—	—	—	—	—

E.0.11 公称外径 d_n315 胶圈电熔双密封聚乙烯复合供水管道单位管长沿程阻力损失可按表 E.0.11 确定。

表 E.0.11 公称外径 d_n315 胶圈电熔双密封聚乙烯复合供水管道单位管长沿程阻力损失水力计算

Q			0.6MPa/290.8mm		0.8MPa/285mm		P_N/d_j 1.0MPa/292.0mm		1.4MPa/291.0mm		1.6MPa/289.0mm		2.0MPa/284.0mm		2.5MPa/271.0mm	
m^3/h	L/s		v	i	v	i	v	i	v	i	v	i	v	i	v	i
90	25		0.38	0.0005	0.39	0.0005	0.37	0.0005	0.38	0.0005	0.38	0.0005	0.39	0.0005	0.43	0.0007
126	35		0.53	0.0009	0.55	0.0009	0.52	0.0008	0.53	0.0009	0.53	0.0009	0.55	0.0010	0.61	0.0012
162	45		0.68	0.0014	0.71	0.0015	0.67	0.0013	0.68	0.0013	0.69	0.0014	0.71	0.0015	0.78	0.0019
198	55		0.83	0.0019	0.86	0.0021	0.82	0.0019	0.83	0.0019	0.84	0.0020	0.87	0.0022	0.95	0.0027
234	65		0.98	0.0026	1.02	0.0029	0.97	0.0026	0.98	0.0026	0.99	0.0027	1.03	0.0030	1.13	0.0037
270	75		1.13	0.0034	1.18	0.0038	1.12	0.0034	1.13	0.0034	1.14	0.0035	1.18	0.0038	1.30	0.0048
306	85		1.28	0.0043	1.33	0.0047	1.27	0.0042	1.28	0.0043	1.30	0.0044	1.34	0.0048	1.47	0.0061
342	95		1.43	0.0053	1.49	0.0058	1.42	0.0052	1.43	0.0053	1.45	0.0054	1.50	0.0059	1.65	0.0074
378	105		1.58	0.0063	1.65	0.0070	1.57	0.0062	1.58	0.0063	1.60	0.0065	1.66	0.0071	1.82	0.0089
414	115		1.73	0.0075	1.80	0.0083	1.72	0.0073	1.73	0.0074	1.75	0.0077	1.82	0.0084	1.99	0.0106
450	125		1.88	0.0087	1.96	0.0096	1.87	0.0085	1.88	0.0087	1.91	0.0090	1.97	0.0098	2.17	0.0123
486	135		2.03	0.0101	2.12	0.0111	2.02	0.0099	2.03	0.0100	2.06	0.0103	2.13	0.0113	2.34	0.0141
522	145		2.18	0.0115	2.27	0.0127	2.17	0.0112	2.18	0.0114	2.21	0.0118	2.29	0.0129	2.52	0.0162
558	155		2.33	0.0130	2.43	0.0143	2.32	0.0127	2.33	0.0130	2.36	0.0133	2.45	0.0145	2.69	0.0184
594	165		2.49	0.0145	2.59	0.0160	2.47	0.0142	2.48	0.0145	2.52	0.0150	2.61	0.0163	2.86	0.0205
630	175		2.64	0.0162	2.74	0.0179	2.61	0.0159	2.63	0.0161	2.67	0.0167	2.76	0.0182	—	—
666	185		2.79	0.0180	2.90	0.0199	2.76	0.0176	2.78	0.0179	2.82	0.0185	2.92	0.0202	—	—
702	195		2.94	0.0198	—	—	2.91	0.0194	2.93	0.0197	2.97	0.0204	—	—	—	—

E.0.12 公称外径 d_n355 胶圈电熔双密封聚乙烯复合供水管道单位管长沿程阻力损失可按表 E.0.12 确定。

表 E.0.12 公称外径 d_n355 胶圈电熔双密封聚乙烯复合供水管道单位管长沿程阻力损失水力计算

Q		P_N/d_i											
		0.6MPa/327.6mm		0.8MPa/321.2mm		1.0MPa/331.0mm		1.4MPa/329.0mm		1.6MPa/327.0mm		2.0MPa/317.0mm		2.5MPa/307.0mm	
m³/h	L/s	v	i	v	i	v	i	v	i	v	i	v	i	v	i
108	30	0.36	0.0004	0.37	0.0004	0.35	0.0003	0.35	0.0004	0.36	0.0004	0.38	0.0004	0.41	0.0005
144	40	0.47	0.0006	0.49	0.0007	0.47	0.0006	0.47	0.0006	0.48	0.0006	0.51	0.0007	0.54	0.0008
180	50	0.59	0.0009	0.62	0.0010	0.58	0.0009	0.59	0.0009	0.60	0.0009	0.63	0.0011	0.68	0.0013
216	60	0.71	0.0013	0.74	0.0014	0.70	0.0012	0.71	0.0013	0.71	0.0013	0.76	0.0015	0.81	0.0017
252	70	0.83	0.0017	0.86	0.0019	0.81	0.0016	0.82	0.0017	0.83	0.0017	0.89	0.0020	0.95	0.0023
288	80	0.95	0.0022	0.99	0.0024	0.93	0.0021	0.94	0.0021	0.95	0.0022	1.01	0.0025	1.08	0.0030
324	90	1.07	0.0027	1.11	0.0029	1.05	0.0025	1.06	0.0026	1.07	0.0027	1.14	0.0031	1.22	0.0037
360	100	1.19	0.0032	1.23	0.0036	1.16	0.0031	1.18	0.0032	1.19	0.0033	1.27	0.0038	1.35	0.0045
396	110	1.31	0.0039	1.36	0.0042	1.28	0.0037	1.29	0.0038	1.31	0.0039	1.39	0.0045	1.49	0.0053
432	120	1.42	0.0045	1.48	0.0050	1.40	0.0043	1.41	0.0044	1.43	0.0046	1.52	0.0053	1.62	0.0062
468	130	1.54	0.0053	1.61	0.0058	1.51	0.0050	1.53	0.0051	1.55	0.0053	1.65	0.0062	1.76	0.0072
504	140	1.66	0.0060	1.73	0.0066	1.63	0.0057	1.65	0.0059	1.67	0.0061	1.77	0.0070	1.89	0.0083

续表 E.0.12

Q		P_N/d_j												
		0.6MPa/327.6mm		0.8MPa/321.2mm		1.0MPa/331.0mm		1.4MPa/329.0mm		1.6MPa/327.0mm		2.0MPa/317.0mm		2.5MPa/307.0mm	
m³/h	L/s	v	i	v	i	v	i	v	i	v	i	v	i	v	i
540	150	1.78	0.0068	1.85	0.0075	1.74	0.0065	1.77	0.0067	1.79	0.0069	1.90	0.0080	2.03	0.0093
576	160	1.90	0.0077	1.98	0.0085	1.86	0.0073	1.88	0.0075	1.91	0.0078	2.03	0.0090	2.16	0.0106
612	170	2.02	0.0086	2.10	0.0094	1.98	0.0082	2.00	0.0084	2.03	0.0087	2.16	0.0101	2.30	0.0118
648	180	2.14	0.0095	2.22	0.0105	2.09	0.0091	2.12	0.0094	2.14	0.0096	2.28	0.0112	2.43	0.0131
684	190	2.26	0.0105	2.35	0.0116	2.21	0.0100	2.24	0.0103	2.26	0.0106	2.41	0.0124	2.57	0.0145
720	200	2.37	0.0116	2.47	0.0128	2.33	0.0110	2.35	0.0113	2.38	0.0117	2.54	0.0136	2.70	0.0159
756	210	2.49	0.0127	2.59	0.0140	2.44	0.0120	2.47	0.0124	2.50	0.0128	2.66	0.0149	2.84	0.0174
792	220	2.61	0.0138	2.72	0.0152	2.56	0.0132	2.59	0.0135	2.62	0.0139	2.79	0.0163	2.97	0.0191
828	230	2.73	0.0151	2.84	0.0165	2.67	0.0143	2.71	0.0148	2.74	0.0152	2.92	0.0176	—	—
864	240	2.85	0.0163	2.96	0.0180	2.79	0.0155	2.82	0.0159	2.86	0.0164	—	—	—	—
900	250	2.97	0.0175	—	—	2.91	0.0167	2.94	0.0172	2.98	0.0177	—	—	—	—

E.0.13 公称外径 d_n400 胶圈电熔双密封聚乙烯复合供水管道单位管长沿程阻力损失可按表 E.0.13 确定。

表 E.0.13 公称外径 d_n400 胶圈电熔双密封聚乙烯复合供水管道单位管长沿程阻力损失水力计算

Q		P_N/d_i									
		0.6MPa/369.4mm		0.8MPa/361.8mm		1.0MPa/375.0mm		1.4MPa/372.0mm		1.6MPa/370.0mm		2.0MPa/356.0mm	
m³/h	L/s	v	i	v	i	v	i	v	i	v	i	v	i
144	40	0.37	0.0003	0.39	0.0004	0.36	0.0003	0.37	0.0003	0.37	0.0003	0.40	0.0004
198	55	0.51	0.0006	0.54	0.0007	0.50	0.0006	0.51	0.0006	0.51	0.0006	0.55	0.0007
252	70	0.65	0.0009	0.68	0.0010	0.63	0.0009	0.64	0.0009	0.65	0.0009	0.70	0.0011
306	85	0.79	0.0013	0.83	0.0015	0.77	0.0013	0.78	0.0013	0.79	0.0013	0.85	0.0016
360	100	0.93	0.0018	0.97	0.0020	0.91	0.0017	0.92	0.0018	0.93	0.0018	1.01	0.0022
414	115	1.07	0.0023	1.12	0.0026	1.04	0.0022	1.06	0.0023	1.07	0.0023	1.16	0.0028
468	130	1.21	0.0029	1.27	0.0032	1.18	0.0027	1.20	0.0028	1.21	0.0029	1.31	0.0035
522	145	1.35	0.0036	1.41	0.0040	1.31	0.0033	1.33	0.0035	1.35	0.0036	1.46	0.0043
576	160	1.49	0.0043	1.56	0.0047	1.45	0.0040	1.47	0.0041	1.49	0.0042	1.61	0.0051
630	175	1.63	0.0050	1.70	0.0056	1.59	0.0047	1.61	0.0049	1.63	0.0050	1.76	0.0060

续表 E.0.13

Q		P_N/d_j												
		0.6MPa/369.4mm		0.8MPa/361.8mm		1.0MPa/375.0mm		1.4MPa/372.0mm		1.6MPa/370.0mm		2.0MPa/356.0mm	
m³/h	L/s	v	i	v	i	v	i	v	i	v	i	v	i
684	190	1.77	0.0059	1.85	0.0065	1.72	0.0055	1.75	0.0057	1.77	0.0058	1.91	0.0070
738	205	1.91	0.0068	2.00	0.0075	1.86	0.0063	1.89	0.0065	1.91	0.0067	2.06	0.0081
792	220	2.05	0.0077	2.14	0.0085	1.99	0.0072	2.03	0.0074	2.05	0.0076	2.21	0.0092
846	235	2.19	0.0087	2.29	0.0097	2.13	0.0081	2.16	0.0084	2.19	0.0086	2.36	0.0104
900	250	2.33	0.0098	2.43	0.0108	2.26	0.0091	2.30	0.0094	2.33	0.0097	2.51	0.0117
954	265	2.47	0.0109	2.58	0.0120	2.40	0.0101	2.44	0.0105	2.47	0.0108	2.66	0.0130
1008	280	2.61	0.0121	2.72	0.0133	2.54	0.0112	2.58	0.0117	2.61	0.0120	2.81	0.0144
1062	295	2.75	0.0133	2.87	0.0146	2.67	0.0123	2.72	0.0128	2.75	0.0132	2.97	0.0159
1116	310	2.89	0.0146	3.02	0.0160	2.81	0.0135	2.85	0.0141	2.88	0.0144	—	—
1170	325	—	—	—	—	2.94	0.0147	2.99	0.0153	3.02	0.0157	—	—

E.0.14 公称外径 d_n450 胶圈电熔双密封聚乙烯复合供水管道单位管长沿程阻力损失可按表 E.0.14 确定。

表 E.0.14 公称外径 d_n450 胶圈电熔双密封聚乙烯复合供水管道单位管长沿程阻力损失水力计算

Q		P_N/d_i									
		0.6MPa/415.6mm		0.8MPa/407mm		1.0MPa/423.0mm		1.4MPa/414.0mm		1.6MPa/410.0mm		2.0MPa/396.0mm	
m³/h	L/s	v	i	v	i	v	i	v	i	v	i	v	i
180	50	0.37	0.0003	0.38	0.0003	0.36	0.0003	0.37	0.0003	0.38	0.0003	0.41	0.0004
216	60	0.44	0.0004	0.46	0.0005	0.43	0.0004	0.45	0.0004	0.45	0.0004	0.49	0.0005
288	80	0.59	0.0007	0.62	0.0008	0.57	0.0006	0.59	0.0007	0.61	0.0007	0.65	0.0009
360	100	0.74	0.0010	0.77	0.0011	0.71	0.0009	0.74	0.0010	0.76	0.0011	0.81	0.0013
432	120	0.89	0.0014	0.92	0.0016	0.85	0.0013	0.89	0.0015	0.91	0.0015	0.97	0.0018
504	140	1.03	0.0019	1.08	0.0021	1.00	0.0017	1.04	0.0019	1.06	0.0020	1.14	0.0024
576	160	1.18	0.0024	1.23	0.0027	1.14	0.0022	1.19	0.0025	1.21	0.0026	1.30	0.0031
648	180	1.33	0.0030	1.38	0.0033	1.28	0.0028	1.34	0.0031	1.36	0.0032	1.46	0.0038
720	200	1.48	0.0036	1.54	0.0040	1.42	0.0033	1.49	0.0037	1.52	0.0039	1.62	0.0046
792	220	1.62	0.0043	1.69	0.0048	1.57	0.0040	1.64	0.0044	1.67	0.0046	1.79	0.0055

续表 E.0.14

Q		0.6MPa/415.6mm		0.8MPa/407mm		P_N/d_j 1.0MPa/423.0mm		1.4MPa/414.0mm		1.6MPa/410.0mm		2.0MPa/396.0mm	
m³/h	L/s	v	i	v	i	v	i	v	i	v	i	v	i
864	240	1.77	0.0051	1.85	0.0056	1.71	0.0047	1.78	0.0052	1.82	0.0054	1.95	0.0065
936	260	1.92	0.0059	2.00	0.0065	1.85	0.0054	1.93	0.0060	1.97	0.0063	2.11	0.0075
1008	280	2.07	0.0067	2.15	0.0075	1.99	0.0062	2.08	0.0069	2.12	0.0072	2.27	0.0086
1080	300	2.21	0.0077	2.31	0.0085	2.14	0.0070	2.23	0.0078	2.27	0.0082	2.44	0.0097
1152	320	2.36	0.0087	2.46	0.0096	2.28	0.0079	2.38	0.0088	2.43	0.0093	2.60	0.0110
1224	340	2.51	0.0097	2.61	0.0107	2.42	0.0089	2.53	0.0099	2.58	0.0103	2.76	0.0123
1296	360	2.66	0.0108	2.77	0.0119	2.56	0.0099	2.68	0.0110	2.73	0.0115	2.92	0.0136
1368	380	2.80	0.0119	2.92	0.0132	2.71	0.0109	2.82	0.0122	2.88	0.0127	—	—
1440	400	2.95	0.0131	—	—	2.85	0.0120	2.97	0.0134	—	—	—	—
1512	420	—	—	—	—	2.99	0.0131	—	—	—	—	—	—

E.0.15 公称外径 d_n500 胶圈电熔双密封聚乙烯复合供水管道单位管长沿程阻力损失可按表 E.0.15 确定。

表 E.0.15 公称外径 d_n500 胶圈电熔双密封聚乙烯复合供水管道单位管长沿程阻力损失水力计算

Q		P_N/d_j														
		0.6MPa/461.8mm		0.8MPa/452.2mm		1.0MPa/469.0mm		1.4MPa/460.0mm		1.6MPa/456.0mm		2.0MPa/442.0mm	
m³/h	L/s	v	i	v	i	v	i	v	i	v	i	v	i
234	65	0.39	0.0003	0.40	0.0003	0.38	0.0003	0.39	0.0003	0.40	0.0003	0.42	0.0004
324	90	0.54	0.0005	0.56	0.0006	0.52	0.0005	0.54	0.0005	0.55	0.0005	0.59	0.0006
414	115	0.69	0.0008	0.72	0.0009	0.67	0.0007	0.69	0.0008	0.70	0.0008	0.75	0.0010
504	140	0.84	0.0011	0.87	0.0013	0.81	0.0011	0.84	0.0012	0.86	0.0012	0.91	0.0014
594	165	0.99	0.0015	1.03	0.0017	0.96	0.0014	0.99	0.0016	1.01	0.0016	1.08	0.0019
684	190	1.13	0.0020	1.18	0.0022	1.10	0.0018	1.14	0.0020	1.16	0.0021	1.24	0.0025
774	215	1.28	0.0025	1.34	0.0027	1.25	0.0023	1.29	0.0025	1.32	0.0027	1.40	0.0031
864	240	1.43	0.0030	1.50	0.0034	1.39	0.0028	1.44	0.0031	1.47	0.0032	1.56	0.0038
954	265	1.58	0.0037	1.65	0.0041	1.53	0.0034	1.60	0.0037	1.62	0.0039	1.73	0.0045

续表 E.0.15

Q		P_N/d_j											
		0.6MPa/461.8mm		0.8MPa/452.2mm		1.0MPa/469.0mm		1.4MPa/460.0mm		1.6MPa/456.0mm		2.0MPa/442.0mm	
m³/h	L/s	v	i	v	i	v	i	v	i	v	i	v	i
1044	290	1.73	0.0043	1.81	0.0048	1.68	0.0040	1.75	0.0044	1.78	0.0046	1.89	0.0054
1134	315	1.88	0.0050	1.96	0.0056	1.82	0.0047	1.90	0.0051	1.93	0.0054	2.05	0.0062
1224	340	2.03	0.0058	2.12	0.0064	1.97	0.0054	2.05	0.0059	2.08	0.0062	2.22	0.0072
1314	365	2.18	0.0066	2.27	0.0073	2.11	0.0061	2.20	0.0067	2.24	0.0070	2.38	0.0082
1404	390	2.33	0.0075	2.43	0.0083	2.26	0.0069	2.35	0.0076	2.39	0.0079	2.54	0.0092
1494	415	2.48	0.0083	2.59	0.0093	2.40	0.0078	2.50	0.0085	2.54	0.0089	2.71	0.0104
1584	440	2.63	0.0093	2.74	0.0103	2.55	0.0087	2.65	0.0095	2.70	0.0099	2.87	0.0116
1674	465	2.78	0.0103	2.90	0.0114	2.69	0.0096	2.80	0.0105	2.85	0.0110	3.03	0.0128
1764	490	2.93	0.0114	—	—	2.84	0.0106	2.95	0.0117	3.00	0.0121	—	—
1854	515	3.08	0.0125	—	—	2.98	0.0116	—	—	—	—	—	—

E.0.16 公称外径 d_n560 胶圈电熔双密封聚乙烯复合供水管道单位管长沿程阻力损失可按表 E.0.16 确定。

表 E.0.16 公称外径 d_n560 胶圈电熔双密封聚乙烯复合供水管道单位管长沿程阻力损失水力计算

Q		P_N/d_i								
		0.6MPa/517.2mm		0.8MPa/506.6mm		1.0MPa/520.0mm		1.4MPa/506.6mm		1.6MPa/500.0mm	
m³/h	L/s	v	i	v	i	v	i	v	i	v	i
288	80	0.38	0.0002	0.40	0.0003	0.38	0.0002	0.40	0.0003	0.41	0.0003
360	100	0.48	0.0004	0.50	0.0004	0.47	0.0003	0.50	0.0004	0.51	0.0004
468	130	0.62	0.0006	0.65	0.0006	0.61	0.0006	0.65	0.0006	0.66	0.0007
576	160	0.76	0.0008	0.79	0.0009	0.75	0.0008	0.79	0.0009	0.82	0.0010
684	190	0.90	0.0011	0.94	0.0013	0.90	0.0011	0.94	0.0013	0.97	0.0013
792	220	1.05	0.0015	1.09	0.0017	1.04	0.0015	1.09	0.0017	1.12	0.0018
900	250	1.19	0.0019	1.24	0.0021	1.18	0.0018	1.24	0.0021	1.27	0.0022
1008	280	1.33	0.0023	1.39	0.0026	1.32	0.0023	1.39	0.0026	1.43	0.0028
1116	310	1.48	0.0028	1.54	0.0031	1.46	0.0027	1.54	0.0031	1.58	0.0033
1224	340	1.62	0.0033	1.69	0.0037	1.60	0.0032	1.69	0.0037	1.73	0.0039

续表 E.0.16

Q		P_N/d_i								
		0.6MPa/517.2mm		0.8MPa/506.6mm		1.0MPa/520.0mm		1.4MPa/506.6mm		1.6MPa/500.0mm	
m³/h	L/s	v	i	v	i	v	i	v	i	v	i
1332	370	1.76	0.0039	1.84	0.0043	1.74	0.0038	1.84	0.0043	1.89	0.0046
1440	400	1.90	0.0045	1.99	0.0050	1.88	0.0044	1.99	0.0050	2.04	0.0053
1548	430	2.05	0.0051	2.13	0.0057	2.03	0.0050	2.13	0.0057	2.19	0.0061
1656	460	2.19	0.0058	2.28	0.0065	2.17	0.0057	2.28	0.0065	2.34	0.0069
1764	490	2.33	0.0065	2.43	0.0073	2.31	0.0064	2.43	0.0073	2.50	0.0078
1872	520	2.48	0.0073	2.58	0.0081	2.45	0.0071	2.58	0.0081	2.65	0.0087
1980	550	2.62	0.0081	2.73	0.0090	2.59	0.0079	2.73	0.0090	2.80	0.0096
2088	580	2.76	0.0089	2.88	0.0099	2.73	0.0087	2.88	0.0099	2.96	0.0106
2196	610	2.90	0.0098	3.03	0.0109	2.87	0.0096	3.03	0.0109	3.11	0.0116

E.0.17 公称外径 d_n630 胶圈电熔双密封聚乙烯复合供水管道单位管长沿程阻力损失可按表 E.0.17 确定。

表 E.0.17 公称外径 d_n630 胶圈电熔双密封聚乙烯复合供水管道单位管长沿程阻力损失水力计算

Q		P_N/d_i							
		0.6MPa/581.8mm		0.8MPa/570mm		1.0MPa/584.0mm		1.4MPa/570.0mm		1.6MPa/564.0mm
m³/h	L/s	v	i	v	i	v	i	v	i	v	i
360	100	0.38	0.0002	0.39	0.0002	0.37	0.0002	0.39	0.0002	0.40	0.0002
504	140	0.53	0.0004	0.55	0.0004	0.52	0.0004	0.55	0.0004	0.56	0.0004
648	180	0.68	0.0006	0.71	0.0007	0.67	0.0006	0.71	0.0007	0.72	0.0007
792	220	0.83	0.0008	0.86	0.0009	0.82	0.0008	0.86	0.0009	0.88	0.0010
936	260	0.98	0.0011	1.02	0.0013	0.97	0.0011	1.02	0.0013	1.04	0.0013
1080	300	1.13	0.0015	1.18	0.0017	1.12	0.0015	1.18	0.0017	1.20	0.0017
1224	340	1.28	0.0019	1.33	0.0021	1.27	0.0018	1.33	0.0021	1.36	0.0022
1368	380	1.43	0.0023	1.49	0.0026	1.42	0.0023	1.49	0.0026	1.52	0.0027
1512	420	1.58	0.0028	1.65	0.0031	1.57	0.0027	1.65	0.0031	1.68	0.0032

续表 E.0.17

Q		P_N/d_j								
		0.6MPa/581.8mm		0.8MPa/570mm		1.0MPa/584.0mm		1.4MPa/570.0mm		1.6MPa/564.0mm	
m³/h	L/s	v	i	v	i	v	i	v	i	v	i
1656	460	1.73	0.0033	1.80	0.0036	1.72	0.0032	1.80	0.0036	1.84	0.0038
1800	500	1.88	0.0038	1.96	0.0042	1.87	0.0038	1.96	0.0042	2.00	0.0045
1944	540	2.03	0.0044	2.12	0.0049	2.02	0.0043	2.12	0.0049	2.16	0.0052
2088	580	2.18	0.0051	2.27	0.0055	2.17	0.0050	2.27	0.0055	2.32	0.0059
2232	620	2.33	0.0057	2.43	0.0063	2.32	0.0056	2.43	0.0063	2.48	0.0066
2376	660	2.48	0.0064	2.59	0.0071	2.47	0.0063	2.59	0.0071	2.64	0.0074
2520	700	2.63	0.0072	2.74	0.0079	2.61	0.0070	2.74	0.0079	2.80	0.0083
2664	740	2.78	0.0079	2.90	0.0087	2.76	0.0078	2.90	0.0087	2.96	0.0092
2808	780	2.94	0.0088	—	—	2.91	0.0086	—	—	—	—
2880	800	—	—	—	—	2.99	0.0090	—	—	—	—

E.0.18 公称外径 d_n710 胶圈电熔双密封聚乙烯复合供水管道单位管长沿程阻力损失可按表 E.0.18 确定。

表 E.0.18 公称外径 d_n710 胶圈电熔双密封聚乙烯复合供水管道单位管长沿程阻力损失水力计算

Q		\multicolumn{10}{c}{P_N/d_j}									
		0.6MPa/655.6mm		0.8MPa/642.2mm		1.0MPa/656.0mm		1.4MPa/639.0mm		1.6MPa/632.0mm	
m³/h	L/s	v	i	v	i	v	i	v	i	v	i
504	140	0.41	0.0002	0.43	0.0002	0.41	0.0002	0.44	0.0002	0.45	0.0002
540	150	0.44	0.0002	0.46	0.0003	0.44	0.0002	0.47	0.0003	0.48	0.0003
720	200	0.59	0.0004	0.62	0.0004	0.59	0.0004	0.62	0.0005	0.64	0.0005
900	250	0.74	0.0006	0.77	0.0007	0.74	0.0006	0.78	0.0007	0.80	0.0007
1080	300	0.89	0.0008	0.93	0.0009	0.89	0.0008	0.94	0.0010	0.96	0.0010
1260	350	1.04	0.0011	1.08	0.0012	1.04	0.0011	1.09	0.0013	1.12	0.0013
1440	400	1.19	0.0014	1.24	0.0016	1.18	0.0014	1.25	0.0016	1.28	0.0017
1620	450	1.33	0.0018	1.39	0.0019	1.33	0.0018	1.40	0.0020	1.44	0.0021
1800	500	1.48	0.0021	1.54	0.0024	1.48	0.0021	1.56	0.0024	1.59	0.0026

续表 E.0.18

Q		P_N/d_j									
		0.6MPa/655.6mm		0.8MPa/642.2mm		1.0MPa/656.0mm		1.4MPa/639.0mm		1.6MPa/632.0mm	
m³/h	L/s	v	i	v	i	v	i	v	i	v	i
1980	550	1.63	0.0026	1.70	0.0028	1.63	0.0026	1.72	0.0029	1.75	0.0031
2160	600	1.78	0.0030	1.85	0.0033	1.78	0.0030	1.87	0.0034	1.91	0.0036
2340	650	1.93	0.0035	2.01	0.0038	1.92	0.0035	2.03	0.0039	2.07	0.0042
2520	700	2.07	0.0040	2.16	0.0044	2.07	0.0040	2.18	0.0045	2.23	0.0048
2700	750	2.22	0.0045	2.32	0.0050	2.22	0.0045	2.34	0.0052	2.39	0.0054
2880	800	2.37	0.0051	2.47	0.0057	2.37	0.0051	2.50	0.0058	2.55	0.0061
3060	850	2.52	0.0057	2.63	0.0063	2.52	0.0057	2.65	0.0065	2.71	0.0068
3240	900	2.67	0.0064	2.78	0.0071	2.66	0.0063	2.81	0.0072	2.87	0.0076
3420	950	2.82	0.0070	2.93	0.0078	2.81	0.0070	2.96	0.0080	—	—
3600	1000	2.96	0.0077	—	—	2.96	0.0077	—	—	—	—

E.0.19 公称外径 d_n800 胶圈电熔双密封聚乙烯复合供水管道单位管长沿程阻力损失可按表 E.0.19 确定。

表 E.0.19 公称外径 d_n800 胶圈电熔双密封聚乙烯复合供水管道单位管长沿程阻力损失水力计算

Q		P_N/d_i								
		0.6MPa/738.8mm		0.8MPa/723.8mm		1.0MPa/740.0mm		1.4MPa/722.0mm		1.6MPa/714.0mm	
m³/h	L/s	v	i	v	i	v	i	v	i	v	i
612	170	0.40	0.0002	0.41	0.0002	0.40	0.0002	0.42	0.0002	0.42	0.0002
720	200	0.47	0.0002	0.49	0.0002	0.47	0.0002	0.49	0.0003	0.50	0.0003
900	250	0.58	0.0003	0.61	0.0004	0.58	0.0003	0.61	0.0004	0.62	0.0004
1080	300	0.70	0.0005	0.73	0.0005	0.70	0.0005	0.73	0.0005	0.75	0.0006
1260	350	0.82	0.0006	0.85	0.0007	0.81	0.0006	0.86	0.0007	0.87	0.0007
1440	400	0.93	0.0008	0.97	0.0009	0.93	0.0008	0.98	0.0009	1.00	0.0009
1620	450	1.05	0.0010	1.09	0.0011	1.05	0.0010	1.10	0.0011	1.12	0.0012
1800	500	1.17	0.0012	1.22	0.0013	1.16	0.0012	1.22	0.0013	1.25	0.0014
1980	550	1.28	0.0014	1.34	0.0016	1.28	0.0014	1.34	0.0016	1.37	0.0017
2160	600	1.40	0.0017	1.46	0.0019	1.40	0.0017	1.47	0.0019	1.50	0.0020

续表 E.0.19

Q		P_N/d_j								
		0.6MPa/738.8mm		0.8MPa/723.8mm		1.0MPa/740.0mm		1.4MPa/722.0mm		1.6MPa/714.0mm	
m³/h	L/s	v	i	v	i	v	i	v	i	v	i
2340	650	1.52	0.0019	1.58	0.0021	1.51	0.0019	1.59	0.0022	1.62	0.0023
2520	700	1.63	0.0022	1.70	0.0025	1.63	0.0022	1.71	0.0025	1.75	0.0026
2700	750	1.75	0.0025	1.82	0.0028	1.74	0.0025	1.83	0.0028	1.87	0.0030
2880	800	1.87	0.0029	1.95	0.0031	1.86	0.0028	1.95	0.0032	2.00	0.0034
3060	850	1.98	0.0032	2.07	0.0035	1.98	0.0032	2.08	0.0036	2.12	0.0038
3240	900	2.10	0.0035	2.19	0.0039	2.09	0.0035	2.20	0.0040	2.25	0.0042
3420	950	2.22	0.0039	2.31	0.0043	2.21	0.0039	2.32	0.0044	2.37	0.0046
3600	1000	2.33	0.0043	2.43	0.0047	2.33	0.0043	2.44	0.0048	2.50	0.0051
3780	1050	2.45	0.0047	2.55	0.0052	2.44	0.0047	2.57	0.0053	2.62	0.0056
3960	1100	2.57	0.0051	2.67	0.0057	2.56	0.0051	2.69	0.0058	2.75	0.0061
4140	1150	2.68	0.0056	2.80	0.0062	2.68	0.0055	2.81	0.0062	2.87	0.0066
4320	1200	2.80	0.0061	2.92	0.0067	2.79	0.0060	2.93	0.0068	3.00	0.0071
4500	1250	2.92	0.0065	—	—	2.91	0.0065	—	—	—	—

本规程用词说明

1 为便于在执行本规程条文时区别对待,对要求严格程度不同的用词说明如下:

1) 表示很严格,非这样做不可的:
正面词采用"必须",反面词采用"严禁";
2) 表示严格,在正常情况下均应这样做的:
正面词采用"应",反面词采用"不应"或"不得";
3) 表示允许稍有选择,在条件许可时首先应这样做的:
正面词采用"宜",反面词采用"不宜";
4) 表示有选择,在一定条件下可以这样做的,采用"可"。

2 条文中指明应按其他有关标准执行的写法为:"应符合……的规定"或"应按……执行"。

引用标准名录

《室外给水设计规范》GB 50013
《建筑给水排水设计规范》GB 50015
《建筑给水排水及采暖工程施工质量验收规范》GB 50242
《给水排水管道工程施工及验收规范》GB 50268
《城市工程管线综合规划规范》GB 50289
《给水排水工程管道结构设计规范》GB 50332
《消防给水及消火栓系统技术规范》GB 50974
《聚乙烯(PE)树脂》GB/T 11115
《给水用聚乙烯(PE)管材》GB/T 13663
《给水用聚乙烯(PE)管道系统 第2部分:管件》GB/T 13663.2
《胎圈用钢丝》GB/T 14450
《生活饮用水输配水设备及防护材料的安全性评价标准》GB/T 17219
《橡胶密封件 给、排水管及污水管道用接口密封圈 材料规范》GB/T 21873
《埋地聚乙烯给水管道工程技术规程》CJJ 101
《埋地硬聚氯乙烯给水管道工程技术规程》CECS 17
《给水用钢骨架聚乙烯塑料复合管》CJ/T 123
《给水用钢骨架聚乙烯塑料复合管件》CJ/T 124
《钢丝网骨架塑料(聚乙烯)复合管材及管件》CJ/T 189
《工业用钢骨架聚乙烯塑料复合管》HG/T 3690
《工业用钢骨架聚乙烯塑料复合管件》HG/T 3691
《对位芳纶(1414)长丝》FZ/T 54076

中国工程建设协会标准

胶圈电熔双密封聚乙烯
复合供水管道工程技术规程

CECS 395：2014

条文说明

目 次

1 总 则 ………………………………………………… (101)
2 术语和符号 ………………………………………… (105)
　2.1 术语 ………………………………………………… (105)
3 管材和管件 ………………………………………… (106)
　3.1 一般规定 …………………………………………… (106)
　3.2 管材 ………………………………………………… (107)
4 设 计 ………………………………………………… (109)
　4.1 一般规定 …………………………………………… (109)
　4.2 管道布置 …………………………………………… (110)
　4.3 管道水力计算 ……………………………………… (111)
　4.4 管道工程结构计算 ………………………………… (114)
5 施 工 ………………………………………………… (116)
　5.1 一般规定 …………………………………………… (116)
　5.3 埋地敷设 …………………………………………… (116)
　5.4 架空敷设 …………………………………………… (117)
　5.5 水下埋设 …………………………………………… (117)
　5.6 水压试验、冲洗、消毒 …………………………… (117)

1 总 则

1.0.1 在"节能、节地、节水、节材和环境保护"基本国策的促进下,工程领域对提高供水排水管网使用寿命、降低施工难度及工程造价、消除供水系统的安全隐患、减少环境污染及管道漏损所造成的水资源浪费等的要求在不断提高,随着各种理论和应用技术的进步,新的管道生产工艺、结构形式、连接技术等被越来越多地应用于实际工程中,通过多年的工程实践发现,虽然供水管网的情况得到明显改善,但管道接口处的跑、滴、漏现象依然存在,成为一项需要尽快解决的关键问题。国内生产企业根据塑料管、塑料复合管、金属管在安装和使用过程中发现的不足,自主研发的胶圈电熔双密封聚乙烯供水管道技术将胶圈、电熔两种连接措施有效结合,达到结构上相辅相成、双重密封的效果,在解决管道接口处的跑、滴、漏现象方面具有明显的优势,是一种新型、先进的供水管道连接技术,可适用于市政、民用及工业建筑的生产、生活、埋地消防供水等管道工程。

(1)胶圈电熔双密封聚乙烯复合供水管材、管件的所有接口均采用双密封双保险接口工艺。第一道密封采用橡胶圈,第二道密封采用能将管材与管件接触面熔接成整体的电热熔。胶圈密封连接结合电热熔克服了单一橡胶圈接口易脱节、沉降荷载低、易轴向位移、抗水推力差等不足,并减少对加固承台的依赖。外侧结合电热熔解决了外环境对橡胶圈寿命影响。橡胶圈同时也弥补了普通电热熔易受人为、施工环境、易位移、承入深度浅、繁杂施工工序等造成的局部虚熔接。胶圈、电熔两种密封措施相结合,增加了有效接触面插入深度,起到较强的性能互补并弥补了各自的不足,配合防位移安全区,大幅增强管道系统接口安全。

(2)复合管材、管件根据不同用途及使用压力,分普通型和增强型两种设计,增强型管道采用高强度增强材料左、右螺旋至先制成的芯管上,再采用树脂将增强材料复合至芯管后,外层树脂同步一次挤出复合成型,分金属增强和非金属增强。

(3)增强型管件采用高强度纤维紧密缠绕至管件外壁并用树脂稳固定型,或用金属薄板制成与管件形状相同衬入内径增强,或用金属薄板均匀布孔并制成与管件形状相同衬入管件壁内增强。

(4)管材、管件特性具有光滑低阻、质量轻、搬运方便、柔韧性好、弯曲半径小、寿命长、卫生无毒、承载压力高等塑料管和金属管具备的优点,并克服了塑料管和金属管的不足。承载压力60%～70%由高强度增强材料承担,根据管材、管件承载压力等级对应调整增强材料的直径、数量、增强层数及金属板厚。管材壁厚变化较小,管件内径无变化,确保承载压力的同时对流量的影响也较小。在管材选型时,压力较小的管道工程可用无增强普通型管材、管件,节约了社会资源,更减少了用管成本。

(5)每根管材一端具有胶圈电熔双密封承口,施工时管材与管材直接连接,不需另配直接管件。配套的各种胶圈电熔双密封弯头、变径、三通、法兰等管件型式多样,分单承单插、双承单插、三承口、双插、三插等多样化承口方式,与不同材质的管道和阀门采用承盘胶圈双密封法兰短管或法兰连接。管材与管件、管件与管件可直接连接,安装非常便捷,解决了电热熔管件、PP-R 管件、PSP 管件、PVC 管件等众多管件与管件不能直接连接的弊端,如电熔管件相互连接,需通过短管才能连接,安装不便,同时接口数量约是胶圈电熔双密封管件的一倍,增加施工的工作量和成本,也增加了接口风险隐患。胶圈电熔双密封管件,大幅减少接口数量的同时,每个接口均采用双密封双保险工艺,解决了连接工艺单一带来的安全隐患。承压范围 0.6MPa～3.5MPa,也可根据使用要求生产更高的特殊压力管道。胶圈电熔双密封聚乙烯复合管材、管件确保管道系统安全运行,给生产、生活带来双重安全保障。

胶圈电熔双密封聚乙烯复合供水管材、管件技术先进、规格齐全,是塑料供水管道工程技术研发进程中的关健突破和技术创新,引领塑料供水管道工程技术升级换代,符合"四节一环保"基本国策的政策导向。胶圈电熔双密封聚乙烯复合供水管材、管件已在国内建筑、市政、埋地消防管道等工程中得到应用,效果良好。为了在管道工程中推广应用,做到在设计、施工中确保工程质量,制定了本规程。

1.0.3 聚乙烯具有耐大多数生活和工业用化学品的优良特性。输送含有酸、碱、盐等腐蚀性物质介质时,设计应了解介质对管道的腐蚀作用,管道对介质的腐蚀性范围和条件可由生产厂家提供。

管道输送卤水和以水为载体的固液混合物时,固体颗粒应小于80目,在经济流速下的体积浓度不宜超过45%。资料显示,高密度聚乙烯耐磨性是普通碳钢的4倍以上,但在实际应用中,由于工况不同,管道的耐磨表现有很大差异。通常认为,塑料管道的磨损受介质中固体颗粒的粒径、形态(锐度)、硬度、流速、浓度等影响,因素很复杂。根据实际应用经验,在尾矿排放工程中应用聚乙烯复合管,在设计流速(2~3)m/s,固体含量50%条件下,管道耐磨性优良,寿命比钢管提高至少一倍,服役期最长的管道已经达到10年。但是,在山区使用聚乙烯复合管输送尾矿时,如果沿流动方向陡降,会造成管道内介质因重力作用显著加速,形成非满管流态,流速可能达到每秒数十米,管道会发生急剧磨损,寿命下降到数月。因此,设计浆体输送管道时,应选择合理路径,或注意利用地形,使管道在快速下降后有一段U形抬升,利用连通器原理阻缓管内介质加速。另外,"经济流速"在不同行业和不同工况条件下的取值不同。对浆体输送管道,为了避免固体颗粒沉降,应保持流速不低于临界值,该临界值又受颗粒尺寸、密度、浓度的影响,通常粒径在80目以下的浆体临界流速约为2m/s。在满足临界流速前提下,采用较低的流速有利于减少输送能耗,比较经济,而且有利于提高管道耐磨寿命。

有些小的固体颗粒容易发生团聚,例如盐湖(田)采卤,可能将湖底沉积的混合盐矿以球块状送入输卤管道。团聚体尺寸虽然较大,但密实度通常较低,其对管壁的磨损能力大于未团聚的微粒,但又显著低于等大的实心团块。因此,应控制管道磨浆机的出口粒径,并适当增加管道内壁耐磨厚度。由于缺乏足够的理论数据,设计时应充分调研实际应用经验选材。

2 术语和符号

2.1 术 语

2.1.1 本术语明确胶圈电熔双密封接口结构,以区分行业内采用单一的电热熔、热熔、胶圈、粘接、法兰、卡箍等接口方式。

2.1.3 管材一端口具有胶圈电熔双密封结构承口,管材由两种或两种以上不同特性材料复合而成。中间增强材料有金属丝增强、非金属丝或非金属带增强。非金属增强材料有:芳纶纤维、玻璃纤维、碳纤维等高强度纤维。金属增强材料有:高强度钢丝。增强层根据使用需要,可增强两层或两层以上。包括钢丝增强聚乙烯复合管、纤维增强聚乙烯复合管等。

2.1.6 采用球墨铸铁或不锈钢材质,制成两头带法兰,内设环形槽可装入橡胶密封胶圈。将膨胀系数不同的塑料管材插入球墨铸件内,由橡胶密封圈密封,再结合电熔活套法兰与球墨铸件法兰紧固再密封,可解决不同膨胀系数材质的管道相互连接隐患。

3 管材和管件

3.1 一般规定

3.1.1 本条明确了管材、管件执行的产品标准以及用于生活供水时应遵照的卫生标准。

胶圈电熔双密封聚乙烯复合供水管道所用聚乙烯材料应符合现行国家标准《聚乙烯(PE)树脂》GB/T 11115、《给水用聚乙烯(PE)管材》GB/T 13663—2000 中第 4 章和《给水用聚乙烯(PE)管道系统 第 2 部分:管件》GB/T 13663.2—2005 中第 4 章的要求。生产管材和管件时所产生的洁净回用料,破碎或重新造粒后可少量掺入同种新料中使用,回用料在整个塑料原料中的比例不应超过5%。

3.1.2 胶圈电熔双密封管道接口,是由承口内靠外侧电热元件组成的电热熔区,端口内侧设有可装入橡胶圈的凹槽,在止口与胶圈槽之间设有防位移安全区。管道第一道密封采用橡胶圈,第二道密封采用电热熔,两种密封措施相结合实现双密封,并通过位移安全区防范人为及环境温差产生的位移,减少对接口的影响。

3.1.3 为保证管道系统具有一致的承压能力、装配质量、配合精度,以及焊接可靠性,通常管材、管件宜选用同一生产商配套产品。

目前国内有多个厂家生产多种形式的钢骨架塑料复合管,所采用的结构和标准互有差异。为便于工程质量追溯,管材、管件上应有产品标识信息,标明产品名称、生产厂名称或商标、执行标准的编号、规格和型号,标识应在生产厂制造时印上,不得在施工现场制作。管材、管件出厂时应具有产品质量检测报告、出厂合格证、使用的原材料级别和牌号说明。

3.1.6 公称外径为 d_n315 及以上的胶圈电熔双密封聚乙烯复合

供水管道所用聚乙烯材料为PE100，其余为PE80。

3.2 管　　材

3.2.1 胶圈电熔双密封聚乙烯金属增强型复合供水管材带有胶圈电熔双密封承口，管材本体增强形式与钢丝网骨架塑料（聚乙烯）复合管材一致，属同类管材。但与国家现行标准《钢丝网骨架塑料（聚乙烯）复合管材及管件》CJ/T 189 中用于供水或特种流体的管材制造要求相比，用于给水排水工程的胶圈电熔双密封聚乙烯金属增强型复合管材所配的钢丝数量和钢丝截面积均有很大幅度的增加，并根据实验和实际需要增加了部分管材的壁厚，因此，不仅管道的接口，包括管材本身的安全可靠性都得到了明显提高，可有效地解决常规钢丝网骨架塑料复合管材在使用过程中存在的爆管、漏水、难以进行打压试验等问题，能更好地避免在负压、埋地承受荷载等不利条件下由于环刚度过低而产生的严重变形问题，为与目前按 CJ/T 189 规定生产的常规钢丝网骨架塑料（聚乙烯）复合管材有所区别，特采用胶圈电熔双密封聚乙烯金属增强型复合管材的名称。

由于具有材料性质更为接近、结合度更好等特点，胶圈电熔双密封聚乙烯非金属增强型管材的各项性能更优于具有相同公称压力等级的胶圈电熔双密封聚乙烯金属增强型管材。

3.2.3、3.2.4 增强型胶圈电熔双密封聚乙烯复合供水管材所采用的钢丝或纤维的缠绕角度范围应为 55°～60°，按左旋与右旋方向交叉缠绕，其抗拉强度见表1。

表1　钢丝抗拉强度

钢丝公称直径 d (mm)	R_m (MPa) $\geqslant$	
	NT	HT
$0.78 \leqslant d < 0.95$	1900	2150
$0.95 \leqslant d < 1.25$	1850	2050
$1.25 \leqslant d < 1.70$	1750	2050
$1.70 \leqslant d < 2.10$	1500	

非金属增强型胶圈电熔双密封聚乙烯复合供水管材所用芳纶纤维是一种合成有机聚合物高性能纤维,芳纶纤维强度应大于或等于 $2500N/mm^2$,断裂延伸率应大于或等于3%。

芳纶纤维具有高强高模的力学性能,与塑料的黏附性强于钢丝对塑料的黏附性,强度是钢丝的3~4倍,比模量为钢丝或玻璃纤维的2倍~3倍,韧性是钢丝的2倍,而重量仅为钢丝的1/5左右,并且连续使用温度范围极宽,在-196℃至204℃范围内可长期运行。在500℃的高温下不分解、不熔化,在200℃下经历100h,仍能保持原强度的75%。

4 设 计

4.1 一般规定

4.1.2 胶圈电熔双密封聚乙烯复合供水管材的公称压力是按照在20℃条件下、输送介质为水时确定的,当输送介质的温度发生变化时,不同温度条件下所对应的管道公称压力按折减系数进行计算,可参考表2。

表2 不同温度时管材公称压力变化的参考值

温度 (℃)	管材类别									
	普通型管材				增强型管材					
	管道公称压力(MPa)									
$0 \leqslant t \leqslant 20$	0.6	0.8	1.0	1.6	1.0	1.4	1.6	2.0	2.5	3.5
$20 < t \leqslant 30$	0.522	0.696	0.870	1.392	0.950	1.330	1.520	1.900	2.375	3.325
$30 < t \leqslant 40$	0.444	0.592	0.740	1.184	0.900	1.260	1.440	1.800	2.250	3.150
$40 < t \leqslant 50$	—	—	—	—	0.860	1.204	1.376	1.720	2.150	3.010
$50 < t \leqslant 60$	—	—	—	—	0.810	1.134	1.296	1.620	2.025	2.835

注:"—"表示没有适用于此条件的管道。

4.1.3 本条结合《室外给水设计规范》GB 50013的相关内容,为确保胶圈电熔双密封聚乙烯复合供水管道系统的安全运行,作了规定。

管道系统运行中的设计内水压力为最大工作压力与最大水锤压力之和。按产生水锤时管道内的水流状态,可分为水柱连续和水柱分离两种水锤情况,水柱分离的水锤情况属于非正常水锤现象,工程中必须采取有效的避免措施;对于水柱连续的水锤现象,属于系统运行中的正常水锤现象,应在设计中充分考虑。对于水柱连续的水锤现象,影响水锤大小主要因素为管道内的水流速度和压力波回流速度,而压力波回流速度又与管材弹性模量、管道内径、壁厚、管端固定度等因素有关。

4.1.4 增强型胶圈电熔双密封聚乙烯复合供水管材可以弯曲敷设以适应管道局部的非标角度转向。但是增强型胶圈电熔双密封聚乙烯复合供水管材的增强纤维网结构限制了管材的弯曲柔性,因此管材的弯曲半径要求较大。如果管材在弯曲状态下还要承受额外负荷,例如在水平定向钻施工中将管道拖过曲线形的空洞,管壁将承受弯曲和拉伸的复合应力,应进一步加大管道弯曲半径。

4.1.5 为了避免热力管道长期对胶圈电熔双密封聚乙烯复合供水管材形成"伴热运行",或者因热力管道破损而伤及胶圈电熔双密封聚乙烯复合供水管。设计时温度限定不超过40℃,是指胶圈电熔双密封供水管通过"位置"的温度,而不是其实际运行温度。管道在更高温度条件下虽然仍可应用,但老化寿命会有较大缩短。

4.2 管道布置

4.2.2 本条规定分段补偿、及时消化的原则,以避免长距离管道变形积累造成管道损伤。

4.2.3 本条规定了供水管道在一些场所需要采用外设保护套管的防护措施时,应符合的要求。

4.2.6 管道工程应采取支撑措施,管道所承受的轴向负荷不得超过管道的允许轴向拉力值。管道的允许轴向拉力值可由管材、管件的生产厂提供。

埋地管道在水平向或垂直向转弯处、改变管径处、三通、四通、端头和安装阀门部位,应根据管道设计内水压力计算管道轴向推力。当其轴向推力大于管道外部土体的支承强度和管道纵向四周土体的摩擦力时,应在管道上相应部位浇筑混凝土止推礅。止推礅可按相应管道设计规范的规定计算。

4.3 管道水力计算

4.3.1 胶圈电熔双密封聚乙烯复合供水管道的水力特性与 HDPE 管一致,本节引用现行行业标准《埋地聚乙烯给水管道工程技术规程》CJJ 101 的相关内容。按所列公式及量纲计算得出的管道沿程水头损失、局部水头损失和水锤压力单位均为"米水柱"。CJJ 101 给出了管道当量粗糙度 n 的取值范围,但未注明单位。根据 Lars-Eric Janson 编著的《给水排水塑料管道》(Plastics Pipes for Water Supply and Sewage Disposal)以及 Hostalen 公司技术手册《Hostalen 管道技术手册》(Technical Manual for Hostalen Pipes)的相关技术内容,可以确定该粗糙度单位为 mm。但前者推荐的取值范围为(0.01~0.05)mm,管径大、流速高时取大值;后者则推荐取值为 0.1mm。实际计算表明,在上述范围内取值对计算结果影响不大,如以管道内径 400mm、流量 700m³/h、流速 1.54m/s 为计算条件,当 n 取值为 0.01mm 时,每米水力坡降为 0.0051m;当 n 取值为 0.15mm 时,每米水力坡降为0.0057m。

公式中管道水力摩阻系数、雷诺数、水的运动黏滞度等参数的计算要求如下:

$$\frac{1}{\sqrt{\lambda}} = -2\log\left[\frac{2.51}{Re\sqrt{\lambda}} + \frac{n}{3.72d_j}\right] \quad (1)$$

$$Re = \frac{v \cdot d_j}{\gamma} \quad (2)$$

$$\gamma = \frac{0.01775}{1 + 0.0337t + 0.00022t^2} \quad (3)$$

式中:λ——管道水力摩阻系数;

v——管道内水流的平均流速(m/s);

d_j——管道的计算内径,可按附录 D 选用;

Re——雷诺数;

n——管道当量粗糙度 n,一般取 0.010;

γ——水的运动黏滞度,不同水温时水的运动黏滞度 γ 也可按表3确定。

表3 不同水温时水的 γ 值

温度(℃)	0	5	10	15	20	25	30	35	40	45	50	60
γ(cm²/s)	1.775	1.512	1.310	1.145	1.010	0.895	0.803	0.725	0.659	0.603	0.556	0.478

单位长度水头损失也可按具有相同内径的聚乙烯内壁材质的供水管道计算表选用。

4.3.2 管道的局部阻力系数值 k 可由生产企业提供,也可按有关给水排水设计手册选用。

4.3.3 水锤压力计算是保障管道系统安全性的重要工作,对于胶圈电熔双密封聚乙烯复合供水管道系统,管材的弹性模量 E_p 值应由产品生产企业提供,水锤压力可由产品生产企业根据设计单位提供的设计参数等条件,经计算后提供,也可参照表4和表5数值。

当管道内的最大设计流速不超过本规程第4.1.3条的规定时,管道内的水锤压力也可参考表4、表5数值。在相同的管材公称压力等级下,非金属增强型管材的各项性能优于钢丝增强型管材,可按钢丝增强型管材的数据考虑。

表4 20℃、管端自由度为0.75时管道内水锤压力参考表(MPa)

管道内水流速度(m/s)	管道公称外径 d_n(mm)	普通型管材				钢丝增强型管材					
		管道公称压力(MPa)									
		0.6	0.8	1.0	1.6	1.0	1.4	1.6	2.0	2.5	3.5
1.5	50	—	—	—	0.593	—	—	—	1.132	1.225	1.225
	63	—	—	—	0.543	—	—	—	1.021	1.098	1.098
	75	—	—	—	0.425	—	—	0.890	0.972	1.010	1.046
	90	—	—	—	0.425	—	—	0.853	0.890	0.958	0.958
	110	0.334	0.378	—	—	0.773	0.807	0.870	0.870	0.955	1.033
	140	0.335	0.3768	—	—	0.687	0.773	0.825	0.850	0.920	0.963

续表 4

管道内水流速度(m/s)	管道公称外径d_n(mm)	普通型管材				钢丝增强型管材					
		管道公称压力（MPa）									
		0.6	0.8	1.0	1.6	1.0	1.4	1.6	2.0	2.5	3.5
2.0	160	0.448	0.503	—	—	0.931	1.031	1.092	1.121	1.204	1.281
	200	0.446	0.502	—	—	0.866	0.952	1.005	1.056	1.152	1.223
	225	0.445	0.502	—	—	0.872	0.924	0.973	1.069	1.121	—
	250	0.446	0.500	—	—	0.947	0.948	1.011	1.073	1.140	—
2.5	315	0.558	0.625	—	—	1.105	1.128	1.173	1.260	1.393	—
	355	0.557	0.625	—	—	1.064	1.106	1.147	1.269	1.381	—
	400	0.556	0.626	—	—	1.023	1.082	1.119	1.236	—	—
	450	0.556	0.626	—	—	1.003	1.095	1.160	1.236	—	—
	500	0.556	0.625	—	—	1.019	1.101	1.186	1.276	—	—
	560	0.556	0.626	—	—	1.093	1.201	1.252	—	—	—
	630	0.556	0.625	—	—	1.105	1.201	1.264	—	—	—
	710	0.557	0.626	—	—	1.127	1.248	1.303	—	—	—
	800	0.556	0.625	—	—	1.119	1.258	1.321	—	—	—

注："—"表示没有适用于此条件的管道。

表 5　20℃、管端自由度为 1.0 时管道内水锤压力参考表（MPa）

管道内水流速度(m/s)	管道公称外径d_n(mm)	普通型管材				钢丝增强型管材					
		管道公称压力（MPa）									
		0.6	0.8	1.0	1.6	1.0	1.4	1.6	2.0	2.5	3.5
1.5	50	—	—	—	0.518	—	—	—	1.013	1.103	1.103
	63	—	—	—	0.473	—	—	—	0.908	0.981	0.981
	75	—	—	0.370	—	—	—	0.786	0.862	0.898	0.932
	90	—	—	0.370	—	—	—	0.752	0.786	0.850	0.850
	110	0.290	0.328	—	—	0.680	0.710	0.768	0.768	0.847	0.920
	140	0.291	0.327	—	—	0.602	0.680	0.727	0.750	0.814	0.854

续表 5

管道内水流速度 (m/s)	管道公称外径 d_n (mm)	普通型管材				钢丝增强型管材					
		管道公称压力（MPa）									
		0.6	0.8	1.0	1.6	1.0	1.4	1.6	2.0	2.5	3.5
2.0	160	0.389	0.437	—	—	0.817	0.907	0.962	0.989	1.065	1.136
	200	0.388	0.437	—	—	0.758	0.835	0.883	0.929	1.017	1.083
	225	0.387	0.436	—	—	0.764	0.810	0.854	0.941	0.989	—
	250	0.387	0.435	—	—	0.830	0.832	0.888	0.944	1.006	—
2.5	315	0.484	0.543	—	—	0.967	0.988	1.029	1.107	1.228	
	355	0.484	0.543	—	—	0.931	0.969	1.006	1.115	1.217	
	400	0.483	0.544	—	—	0.895	0.947	0.980	1.086		
	450	0.483	0.544	—	—	0.876	0.959	1.017	1.085		
	500	0.483	0.543	—	—	0.891	0.964	1.040	1.121		
	560	0.483	0.544	—	—	0.957	1.054	1.100	—		
	630	0.483	0.543	—	—	0.967	1.054	1.111			
	710	0.484	0.544	—	—	0.987	1.096	1.146			
	800	0.483	0.543	—	—	0.980	1.106	1.163			

注："—"表示没有适用于此条件的管道。

4.4 管道工程结构计算

4.4.1 管道结构设计通常包括内压下的强度计算、管壁截面环向稳定性计算、管道竖向变形计算、伸缩补偿计算、轴向止推力计算和埋地管道的抗浮计算等。由于增强型胶圈电熔双密封供水管的管壁复合结构比较复杂，设计人员无法获得管道网格参数，无法计算管道在公称压力下的环向应力。管道的耐压能力是以产品符合国家现行标准 GB/T 13663、GB/T 13663.2、CJ/T 189、HG/T 3690、HG/T 3691、CJ/T 123、CJ/T 124 为基本保障的，按本规程选择应用时需再次核算其耐压强度。管壁截面环向稳定性和管道竖向变形,可参照现行行业标准《埋地聚乙烯给水管道工程技术规程》CJJ 101 中的相关内容计算。

4.4.2、4.4.3 条文用于指导伸缩补偿设计,包括变形量和轴向力计算,分别适用于位移补偿和轴向固定约束设计。

胶圈电熔双密封聚乙烯增强型复合供水管材的热膨胀系数约为 HDPE 管道的 2/3。由于胶圈电熔双密封聚乙烯增强型复合供水管材的弹性模量较低(约 4000MPa),热胀冷缩变形引起的热应力约为 4MPa,该应力在管材本身的安全耐受范围内,因此只要采取可靠的固定措施,可不进行专门补偿设计。但是,为了避免施工或其他原因造成管道变形在某些部位积累或对转折部位形成过大弯矩破坏管线,因此设计架空管道时,应考虑管道的热胀冷缩变形补偿。

5 施 工

5.1 一般规定

5.1.10 本条是根据胶圈安装有一定要求和电热熔设备的专业性而制定。

5.1.11 本条第1、3、9款的规定是为防范承插不到位而制定的;第2、4、10款是为电热熔接口充分有效熔合而制定的;第5、6、7款是按管道特点和施工经验制定的;第8款是为防止管材插入时损坏胶圈和电热丝而制定的,插入承口深度见表6。

表6 插入承口深度(mm)

承口规格	50	63	75	90	110	140	160	200	225	250	315	355	400	450	500	560	630	710	800
插入深度	90	100	120	130	135	145	152	170	175	180	200	220	230	240	250	260	270	310	320

5.3 埋地敷设

5.3.2 沟槽开挖参照了现行国家标准《给水排水管道工程施工及验收规范》GB 50268 的规定给出。条文只规定了槽宽和槽底开挖预留值。沟槽端面形式、边坡、支护、降水措施等,应按现行国家标准《给水排水管道工程施工及验收规范》GB 50268 的相关规定及其他现行相关土方施工技术规程实施。

5.3.3 本条规定了管道基础和垫层要求。

5.3.6 埋地管道可在沟槽内尽量利用沟槽的宽度在水平方向上有一定曲挠的波形敷设,不应人为将管道拉直。

5.3.8、5.3.9 柔性管道结构的支撑强度是按管土共同作用的理论建立的,管底垫层和周围土壤的密实度,决定了管道—土壤系统的负载能力,所以管底土壤应认真处理,尤其是管底两腋要填满夯实,同时将分层回填的土壤夯实到设计密实程度,使管周土壤对管道起到足够的支撑。

5.4 架空敷设

5.4.1 本条规定了架空安装时管道支架的基本形式,采用U形支架和柔性衬垫是为了避免支架对管道外壁形成点载荷或线载荷引起应力集中。

5.4.2～5.4.4 这几条是根据架空管道安装一般作业方式结合胶圈电熔双密封聚乙烯复合管特性做出的规定。

5.5 水下埋设

管道水下埋设是在水下开槽敷设管道的方法,与开挖施工有很多相似之处,是各种管道建设工程都会遇到的常见工程环境。本节仅列出水下埋设的基本条件和技术要求,设计和施工应满足国家现行有关标准或地方相关法律法规的要求。

5.5.8 管道在地面预先连接的长度主要受场地条件、下掏(下水)方式及管道轴向拖拉力限制。采取滚轮或发射沟方式下水时,可以极大降低轴向拉力,预制长度可不受此限制。

5.5.9 管道顺次沉设,可以避免管道内空气滞留,形成拱形,影响作业连续性或对管道造成弯曲损伤。

5.6 水压试验、冲洗、消毒

5.6.5 分级升压是为了试验安全,并可尽早发现管道缺陷。可根据试验压力决定分级升压方式,每级压力一般不超过0.5MPa。

5.6.11、5.6.12 条文针对普通型胶圈电熔双密封供水管道和增强型胶圈电熔双密封供水管道的不同特点分别规定采用不同水压试验方法。